SERIE ∞ INFINITA

M

ESCUELA de FRIKIS

Y LLEGÓ HICKLEBEE-RIYATULLE

GITTY DANESHVARI

ILUSTRADO POR
CARRIE GIFFORD

TRADUCCIÓN DE LAURA MANERO

Montena

Título original: *Schools of Fears. Class is not dismissed*

Primera edición: noviembre de 2010
Primera reimpresión: julio de 2018

© 2010, Gitty Daneshvari
© 2010, Penguin Random House Grupo Editorial, S. A. U.
Travessera de Gràcia, 47-49. 08021 Barcelona
© 2010, Laura Manero Jiménez, por la traducción
© 2010, Carrie Gifford, por las ilustraciones

Printed in Spain - Impreso en España

ISBN: 978-84-8441-665-4
Depósito legal: B-38.275-2010

Compuesto en Fotocomposición 2000, S. A.

Impreso en Limpergraf
Barberà del Vallès (Barcelona)

GT 1 6 6 5 4

Penguin
Random House
Grupo Editorial

Para Sophia Coco

ESCUELA DE MRS. WELLINGTON

Terrenos de los alrededores de Farmington, Massachusetts
(Localización exacta no revelada por motivos de seguridad)
Dirijan toda la correspondencia a: Apdo. 333, Farmington, MA 01201

Apreciados concursantes:

Al igual que los deberes, los granos y la pubertad, vuestro segundo verano en la Escuela de Mrs. Wellington no es algo opcional. Ante cualquier acto de insumisión, como alegar la defunción de una mascota querida, tener amnesia o haberse apuntado a un campamento de verano para no venir, tendrá que vérselas cara a cara con mi abogado, Munchauser... literalmente. El hombre con las uñas más mugrientas de todo Estados Unidos se presentará en vuestra casa, hilo dental en mano, y entonces Munchauser, que solo ha ido al dentista tres veces en toda su vida, procederá a pasarse el hilo entre sus dientecillos amarillentos a solo unos centímetros de vuestras narices. Se trata de una experiencia de la que jamás podríais recuperaros.

El curso de verano dará comienzo puntualmente a las 9.00 de la mañana del sábado 29 de mayo en la sede de Summerstone. Y no olvidéis preservar el anonimato de la Escuela de Mrs. Wellington abriendo los grifos del baño, poniendo el televisor a todo volumen y tocando la armónica siempre que habléis de nuestra institución. En nombre de mí misma, de mi ayudante con peinado al estilo caracola Schmidty, del bulldog Macarrones y de mis adiestradísimos gatos, esperamos con impaciencia ver muy pronto vuestras sonrisas recubiertas de vaselina.

Saludos cordiales,

Mrs. Wellington

MRS. WELLINGTON
Directora de la Escuela de Mrs. Wellington
y ganadora de 49 concursos de belleza

P. D.: A Munchauser no le hace ni pizca de gracia tener que volver a veros y me ha pedido que os lo haga saber.

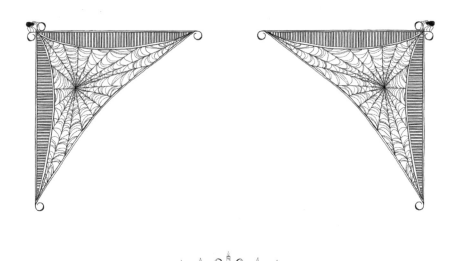

CAPÍTULO 1

TODO EL MUNDO TIENE MIEDO DE ALGO:
la heliofobia es el miedo
al sol.

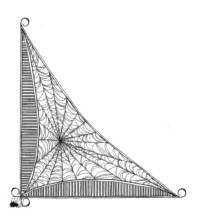
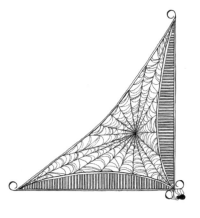

El sol no es el sol. Y eso no quiere decir que el sol sea la luna, puesto que está clarísimo que no es así. El sol, sencillamente, es mucho más que el centro del sistema solar o que un objeto brillante y resplandeciente del firmamento. Día tras día, el sol nos libra de la oscuridad y saca a la luz la gran cantidad de secretos que les ocultamos a los demás, y a veces incluso a nosotros mismos. Ay, sí: el sol, nos guste o no, es el guardián de la verdad.

Madeleine Masterson, de trece años de edad, llegó a Boston la mar de feliz, completamente encantada de haber conseguido escapar de los grises cielos de Londres. Con una sonrisa resplandeciente, la chica de ojos azules, piel blanca y unos rizos negros como el azabache que le llegaban justo por encima de los hombros, fue la primera en salir del aeropuerto, arrastrando a sus padres hacia el calor abrasador y húmedo del exterior. La familia Masterson al completo se quedó de pie ante el edificio, caldeando sus frioleros huesos británicos bajo ese sol maravilloso. Para los ingleses, el sol es un poco como la reina: saben que existe, pero la verdad es que no la ven muy a menudo.

Hacía un año nada más, Madeleine era apenas una sombra de sí misma. Caminaba por la vida presa de un terror espantoso, convencida de que había enemigos acechando en cada esquina, o más bien en cada rincón. La única hija de Mr. y Mrs. Masterson había padecido durante años una terrible fobia a las arañas y demás insectos. Aparte de llevar un velo de redecilla y un cinturón de sprays insecticidas en todo momento, Madeleine se había negado a entrar en cualquier edificio que no hubiera sido fumigado poco antes por un exterminador. Como cualquiera podrá imaginar, la mayoría de los padres de sus compañeras de clase se negaba a cumplir con los interminables y caros requisitos que Madeleine exigía para entrar en sus residencias, por lo que la niña se había perdido casi todas las fiestas de pijama, los cumpleaños y cualquier actividad que se desarrollara al aire libre.

Por suerte para todos los interesados, Madeleine había pasado el verano anterior en una institución altamente secreta, cuya existencia solo podía conocerse mediante recomendación personal y que llevaba por nombre Escuela de Mrs. Wellington. Para gran deleite de sus padres, Madeleine había vuelto a casa sin su velo y sin sus sprays; era una niña completamente nueva. Bueno, no del todo: la jovencita seguía fascinada por los líderes mundiales y a menudo recitaba de memoria la lista de delegados de Naciones Unidas en orden alfabético solo por pasar el rato; pero, eso sí, le había dicho adiós a su espantosa aracnofobia.

—Mamá, papá, no es por ser impertinente, pero ¿por qué me enviáis a pasar otro verano allí? Ya estoy curada, arreglada o comoquiera que os apetezca expresarlo. ¿Puedo recordaros que ahora soy miembro del Club de Homenaje a las Arañas y también de Criaturas Octópodas por el Cambio Social?

—Ya lo sabemos, cariño. Tu padre y yo estamos muy impresionados con los progresos que has hecho —dijo Mrs. Masterson con una sonrisa.

—¿No eres tú el único miembro de esos clubes? —preguntó Mr. Masterson.

—Eso no viene a cuento, papá —replicó Madeleine de mal humor.

—Por desgracia, como ya te hemos explicado, se trata de una especificación contractual. El abogado de Mrs. Wellington, ese horrendo Munchauser, nos hizo firmar un contrato por dos veranos. Insiste en que este segundo curso es necesario para consolidar los progresos que hiciste el verano anterior. Pero tú no te preocupes, cariño. El año que viene serás libre de hacer todo lo que quieras.

—Bueno, supongo que otro verano allí tampoco puede hacerme mucho daño. Además, de lo que sí tengo muchísimas ganas es de ver a todos los demás y poder explicarnos qué tal nos ha ido el año —admitió Madeleine mientras la limusina torcía por una estrecha carretera de adoquines.

Unos segundos después, el vehículo quedó envuelto en la oscuridad del túnel que formaban los árboles y las enredaderas pegajosas que crecían de un lado a otro de la carretera. Aunque en esa luz tan tenue resultaba algo difícil distinguirlos, había una multitud de carteles escritos a mano que advertían en contra de entrar en el Bosque Perdido. Aquella zona de espesa vegetación tenía fama de masticar a las personas y luego no volver a escupirlas.

El coche aminoró la marcha cuando el túnel de follaje se abrió al pie de una enorme montaña de granito. Mr. y Mrs. Masterson tenían pensado bajar del vehículo para conocer a ese tal Schmidty, todo un personaje del que habían oído hablar largo y tendido. Sin embargo, las abrasadoras temperaturas disuadieron enseguida al matrimonio londinense de abandonar los confines de su coche, refrescados mediante aire acondicionado. Ataviada con un vestido de tela escocesa naranja, una cinta de pelo a juego y una sonrisa de oreja a oreja, Madeleine bajó de un salto de la limusina. Bueno, si nos ponemos técnicos, más que saltar se dejó caer… por culpa de aquel calor tan achicharrante. Madeleine estaba empezando a comprender qué quería decir la gente cuando decía eso de que «hasta lo bueno cansa».

Echados en unas tumbonas dispuestas bajo una gran sombrilla estaban Schmidty, leal cocinero-conserje-arreglapelucas de la Escuela de Mrs. Wellington, y Macarrones, el bulldog inglés.

—¡Schmidty! —gritó con alegría Madeleine antes de pararse en seco. La niña se quedó completamente boquiabierta y fue incapaz de decir una palabra más.

El viejo regordete llevaba una camisa hawaiana, unas bermudas negras de poliéster y unas sandalias abiertas que dejaban ver sus dedos peludos y las irregulares y marrones uñas de sus pies. Sin embargo, lo más repulsivo era la visión de su peinado estilo caracola, que se le había desmoronado hacia un lado: todo lo que quedaba de él era una enredada mata de mechones grises. Madeleine lo contempló unos segundos más antes de recobrar la compostura y sopesar cuál era la mejor forma de enfrentarse a tan delicada situación.

—Schmidty, siento muchísimo informarle de que su pelo...

—Por favor, Miss Madeleine —la interrumpió el hombre—, resulta demasiado doloroso oírle pronunciar la confirmación de la catástrofe. Estoy intentando quedarme en la fase de negación del hecho, pero ya sabe usted que eso es mucho más complicado de lo que Mrs. Wellington lo hace parecer.

La niña asintió antes de darle unas palmaditas a Schmidty en el hombro. Visto el calor que hacía y el estado en que había quedado el pelo del conserje, creyó mejor evitar darle un abrazo.

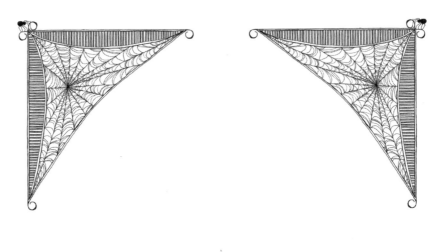

CAPÍTULO 2

TODO EL MUNDO TIENE MIEDO DE ALGO:
la singenesofobia es el miedo
a los parientes.

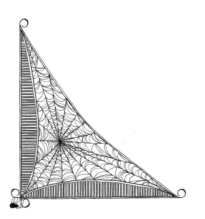

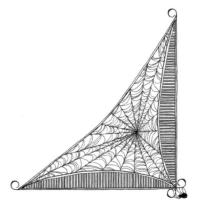

Mientras Madeleine se abanicaba a sí misma y a Macarrones con una revista, una furgoneta VW con el parachoques lleno de pegatinas llegó rechinando por la última curva, levantando literalmente humo de los adoquines. A través del parabrisas empañado y lleno de bichos aplastados, la niña logró distinguir a un adolescente al volante. El joven no tenía más de diecinueve años y llevaba una gorra de béisbol y unas gafas de sol muy grandes.

Unos instantes después, la furgoneta frenó dando una sacudida, la puerta de atrás se abrió de golpe y de allí salió un tembloroso Theodore Bartholomew. El regordete niño de pelo castaño y gafas iba vestido con unos pantalones cortos de golf color salmón, un polo color turquesa, zapatos náuticos Top-Sider y una riñonera a cuadros. En conjunto, era muy poco lo que podía salvarse de su vestimenta.

—¡Se lo pienso decir a mamá y a papá, Joaquin! ¿Me estás oyendo? Les prometiste que no conducirías a más de sesenta kilómetros por hora, y, aun viendo pasar mi vida por delante de mis ojos, me he dado cuenta de que el velocímetro marcaba ochenta —le chilló Theo, que tenía trece años, a su hermano mayor mientras descargaba dos maletas.

Theo era un neoyorquino al borde del ataque de nervios, un niño que había crecido obsesionado con que cualquier peligro, o incluso la muerte, podía estar aguardándoles a él y a su familia en el lugar más inesperado. Theo, el menor de siete hermanos, había agotado a su familia con sus teatrales muestras de preocupación, y sobre todo con su sistema de localización de Vivos o Muertos. Antes de ir a la Escuela de Mrs. Wellington, Theo se pasaba el día intentando localizar a todos los miembros de la familia para anotar su condición de «vivos» o «muertos» en su inseparable cuaderno. También había invertido una barbaridad de tiempo en escribirle cartas al alcalde de Nueva York proponiéndole formas de conseguir que la ciudad fuera más segura. El niño estaba bastante molesto porque el alcalde nunca le había contestado; ni siquiera había dicho nada de su propuesta para aprobar una ley de ámbito municipal que obligara a todos los habitantes a aplicarse desinfectante de manos bactericida cada hora. A Theo le parecía que el eslogan tenía gancho y era contundente: «Al que no se desinfecta, el alcalde lo arresta».

Bajo el abrasador sol del verano, Joaquin miró a su susceptible hermano pequeño y suspiró.

—Oye, abuelito… —masculló en respuesta a la acusación de exceso de velocidad.

—No pronuncies el nombre de nuestro abuelo en vano. Y, por última vez, esto es ropa deportiva informal, no chic de jubilado. Además, para que lo sepas, este verano es el último grito.

—¿Es que no puedes relajarte ni un momento? —comentó Joaquin con evidente hartazgo.

—En serio, Theo, relájate un poco —lo secundó Lulu Punchalower mientras bajaba del asiento del acompañante vestida con una camiseta vieja, vaqueros y un par de zapatillas Converse negras.

El pelo rubio rojizo de Lulu, de trece años también, había crecido bastante y se había rizado un poco más en el año que hacía desde que había salido de la Escuela de Mrs. Wellington. Sin embargo, esos ojos verdes con los que tan a menudo expresaba su exasperación seguían tan brillantes como siempre entre su mar de pecas.

La oriunda de Providence, Rhode Island, había cambiado muy poco a primera vista desde su anterior estancia en la Escuela de Mrs. Wellington. Lulu seguía siendo cabezota y sarcástica, y seguía teniendo especial predilección por decir la suya. Sin embargo, si se la miraba con atención, se habían producido en ella una multitud de pequeños aunque importantes cambios. Lulu por fin podía darse el gusto de beber agua y otros brebajes a lo largo del día, ya que había levantado su prohibición de ingerir líquidos para no tener que entrar en lavabos sin ventanas. Antes de ir a la Escuela de Mrs. Wellington, la niña padecía claustrofobia y habría sido capaz de hacer casi cualquier cosa con tal de evitar los lugares cerrados, incluso de esposarse a coches, retretes y hasta a algún que otro desconocido. Menos mal que al final había dejado eso de llevar esposas para los agentes de la ley y unos cuantos vigilantes de supermercado demasiado entusiastas.

—«Relájate un poco» —dijo Theo, repitiendo lo que había dicho Lulu—. No imites a Joaquin cuando habla. Es un inadaptado. Un auténtico degenerado. ¿Sabías que en la actualidad se dedica a repetir duodécimo curso? Ni siquiera dejan que los delincuentes juveniles se relacionen con él, porque creen que es Joaquin quien ejerce una mala influencia sobre ellos. Salió elegido como el chico «con más probabilidades de acabar robando en farmacias». ¡Y eso no es nada bueno! —bramó Theo mientras sus gafas se empañaban a causa de la enorme humedad.

—Theo, no estés celoso. Es solo que tu hermano es más guay que tú por naturaleza.

—Nos vemos, «Lu» —dijo Joaquin antes de ofrecerle un puño a Lulu para que lo hiciera chocar con el suyo y volver a la furgoneta.

—¿Cómo que «Lu»? ¿Le has puesto un mote? ¿Y yo qué? ¡Soy sangre de tu sangre y llevo años pidiéndote que me pongas un mote!

—Otro día, Theo —masculló Joaquin mientras cerraba la puerta de golpe y ponía el motor en marcha.

—No dejes nuestro ADN en ridículo, dame al menos un abrazo de despedida —gritó el niño mientras la furgoneta se alejaba—. Yo tendría que haber sido italiano, ellos sí que valoran la familia… y la pasta.

—¡Lulu! ¡Theo! —exclamó Madeleine con gran alegría mientras salía de debajo de la sombrilla y se acercaba a sus amigos.

—¿Ves? Esto sí que es una reacción adecuada al volver a ver a un amigo —le dijo Theo a Lulu con petulancia antes de darle un abrazo a Madeleine.

—¿Quieres relajarte? No soy muy amante de los abrazos. ¡Se siente! —espetó la niña mientras le ofrecía un puño a Madeleine.

—Lo siento muchísimo, Lulu, pero ¿exactamente qué es lo que esperas que haga con eso? ¿Es como jugar a piedra, papel o tijera?

—Tíos, así es como se saluda la gente guay. Chocan puños. Me lo ha enseñado «Joaq». Por lo visto lo hace todo el mundo, hasta Obama.

—Está bien —dijo Madeleine con jovialidad antes de hacer chocar su puño con el de Lulu—. Me encanta aprender cómo se saludan los dignatarios.

Theo se aclaró la garganta haciendo mucho ruido mientras le lanzaba a Lulu una mirada asesina.

—¿Qué pasa? —dijo ella, encogiéndose de hombros.

—Que no solo no me has abrazado…

—He chocado puños contigo. Es lo mismo, Theo. Incluso Maddie lo sabe, ¡y ella es de Inglaterra!

—Hay una infinidad de formas de saludar a una persona, Theo. No deberíamos ser tan críticos con la que prefiere Lulu —explicó Madeleine con calma—. En Japón la gente se inclina, en Francia se dan besos en las mejillas.

—¡Pero es que ella me ha dado un puñetazo! —chilló Theo, a quien las gotas de sudor le caían de las cejas a las gafas y luego resbalaban por sus sonrosados mofletes de ardilla.

—¡Qué va! Has sido tú el que se ha caído en mi puño, y eso hace que toda la culpa sea tuya —se justificó Lulu con tono apasionado.

—¿Cómo que me he caído en tu puño? Si esto fuera un tribunal de justicia, el juez se reiría en tu cara. A lo mejor hasta te escupiría en un ojo sin querer —dijo Theo mientras intentaba enjugarse la frente con la manga—. ¿Alguien tiene un pañuelo? Me estoy asfixiando.

—Miss Lulu, Mr. Theo, lamento muchísimo interrumpirlos, pero…

—Oh, Schmidty —gimoteó Theo con ternura mientras avanzaba balanceándose hacia el anciano con los brazos abiertos—. Cuánto le he echado de menos. Algunos días incluso casi añoraba el Casu Frazigu y, por favor, dese cuenta de que he dicho «casi», así que no me ponga ni una pizca en la comida.

—Querido Mr. Theo, no sé qué decir. Me siento terriblemente emocionado al ver que ha pensado usted en mí, y también en la pasión de la señora por el queso de gusanos.

—Schm, usted y yo somos como de la familia, solo que no somos parientes —dijo Theo con gran teatralidad—. De no ser por la existencia de toda una serie de graves peligros para la salud, me pincharía en un dedo y lo convertiría a usted en mi hermano de sangre.

—¿Acabas de llamarlo «Schm»? —preguntó Lulu con brusquedad.

—Oh, perdona, ¿es que «Joaq» y tú tenéis el monopolio de los motes? —contraatacó Theo.

—Cómo echaba de menos estas interminables e inútiles discusiones de Miss Lulu y Mr. Theo… —murmuró Schmidty para sí.

—Qué hay, Schmidty —dijo Lulu mientras extendía con cariño su puño, el cual Schmidty hizo chocar con el suyo de buena gana.

Para hacer hincapié en el hecho de que hasta Schmidty sabía cómo chocar puños, Lulu le lanzó a Theo una inconfundible mirada victoriosa que él fingió no ver. Y, cuando Theo simulaba no ver algo, sus ojos se desplazaban con teatralidad de derecha a izquierda, y luego del cielo al suelo. Nunca se le había dado muy bien la sutileza.

—¡Macarrones! Ay, Macarrones —exclamó el niño con dicha mientras se dejaba caer junto al jadeante perro—. Tú sí que eres el mejor amigo del hombre… y con eso no quiero decir que esperara que lo fuera Lulu.

La niña miró a Schmidty y a Madeleine con ojos de exasperación.

—He pasado casi cinco horas encerrada con él —dijo—, lo cual sobrepasa mi límite en cuatro horas y cincuenta y cinco minutos.

—Miss Lulu, debo preguntarle cómo y por qué han llegado los dos en el mismo vehículo.

—Ha sido idea de Theo. Además, la verdad es que a mis padres no les apetecía volver a hacer todo el trayecto hasta aquí. Han dicho que preferían irse a jugar al golf.

—Así es como me agradecen que salve el planeta —dijo Theo antes de hacer una larga pausa—. «Compartir coche no es un tostón, sino una ecológica diversión.»

—Lo ha escrito él solito —explicó Lulu con un tono de voz inexpresivo.

—Es verdad —confirmó Theo con orgullo—. Es un eslogan al que le auguro un gran futuro. E-nor-me.

—¿Por qué sientes la necesidad de separar «enorme» en sílabas? Ya sabemos qué sílabas tiene «enorme», Theo —dijo Lulu, cada vez más molesta.

—Lo importante es que estáis los dos aquí. Tenía muchísimas ganas de veros y saber qué tal os ha ido el curso escolar

—los interrumpió Madeleine, en un intento más que evidente por relajar la tensión.

—Se me había olvidado del todo que hablas siempre con esa corrección tan inglesa, como eso de «curso escolar» —dijo Lulu con una sonrisilla de suficiencia—. No digo que sea malo, es solo que se me había olvidado del todo hasta ahora.

—Ah, el insulto rastrero de Lulu… Seguro que lo echabas de menos —le dijo Theo a Madeleine en voz bien alta.

Sin saber muy bien cómo resolver esa situación tan peliaguda, Madeleine decidió que lo mejor era sonreír. Mientras la niña estiraba los labios de oreja a oreja, una suave sensación de hormigueo le hizo cosquillas en el brazo izquierdo. Sin pensarlo dos veces, Madeleine pegó un salto a la vez que se daba una palmada.

—Ay, lo siento, me ha dado la impresión de que tenía algo en el brazo. Una araña no, por supuesto. No es que me hubiera importado, porque ahora las arañas me gustan bastante. Me preocupaba que pudiera ser un colibrí agresivo, pero resulta que no era más que un pelo. Es muy fácil confundir ambas cosas.

—¿Por qué estamos todavía aquí fuera? —protestó Theo.

—Sí, hay una humedad espantosa —convino Madeleine con inseguridad—. Hace poco me enteré de que en Norteamérica existen dos especies de escarabajos a los que les gusta poner huevos cuando hay humedad. ¿No lo encontráis interesante?

—Yo ya he perdido un kilo de peso en líquido. Empiezo a sentirme como un modelo de pasarela, todo piel y huesos —se lamentó Theo sin hacer ningún caso del comentario de Madeleine.

—Bueno, no tienes por qué preocuparte, Theo. No hay peligro de confundirte con un modelo —replicó Lulu con toda tranquilidad.

—Pues te hago saber que, en mi época, hice algunos trabajitos de modelo —dijo el niño mientras sacaba pecho con falsa bravuconería.

Lulu se estuvo partiendo de risa durante unos buenos treinta segundos antes de poder contestarle nada.

—¡Pero qué mentira más gorda! Tú… haciendo… de… modelo. ¡Ja!

—¡Es verdad! —espetó Theo a la defensiva.

—Ah, ¿sí? Entonces, por favor, dime para quién hiciste de modelo.

—Fue para un artículo de una revista de niños. Me parece que se titulaba algo así como «Chavales Bollito: la verdadera historia de los niños adictos a los hidratos de carbono» —dijo Theo, bajito, antes de que Lulu volviera a estallar de risa—. ¡Aun así, cuenta como trabajo de modelo!

—Schmidty, por favor, dígame que Garrison va a venir también este verano —suplicó Madeleine mientras veía a Theo y a Lulu seguir riñendo.

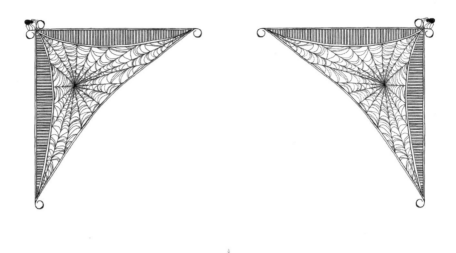

CAPÍTULO 3

Todo el mundo tiene miedo de algo:
la eritrofobia es el miedo
de ruborizarse.

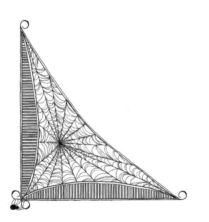
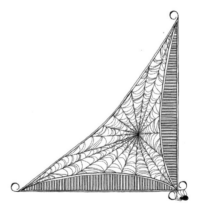

Madeleine, Lulu, Theo, Schmidty y Macarrones acabaron haciendo muecas de impaciencia mientras esperaban a que llegara Garrison Feldman, el chico de catorce años. Aunque técnicamente solo llevaba diez minutos de retraso, la inclemente humedad hacía que pareciera ya una hora entera. Mientras esperaban, Theo se había escabullido y había conseguido echarse en la tumbona de Macarrones, donde había adoptado la misma postura que el perro: panza arriba y con los brazos y las piernas en alto.

Justo cuando Lulu se disponía a lanzarse en una diatriba sobre el estúpido comportamiento de Theo, por la curva apareció un jeep convertible con música reggae saliendo de las ventanillas, y en la parte de delante iba sentado nada menos que Garrison Feldman. Tal como esperaría ver uno en una película de cine, la luz del sol recortó perfectamente la silueta del chico cuando bajó del coche. Estaba un poco más alto y mucho más moreno que el año anterior, cuando Lulu, Madeleine y Theo lo habían visto por última vez. Sus rizos rubios, que antes llevaba tan bien peinados, le caían revueltos por delante de la cara.

Incluso vestido con bermudas de surfista, una camiseta vieja y chanclas de playa, no se podía negar: estaba como un queso. Garrison, con sus catorce añitos, cogió su bolsa y su tabla de *boogie*, obsequió al grupo con una sonrisa magnética e inmediatamente los dejó a todos hechizados. Incluso Theo quedó cautivado por su asombroso atractivo, o quizá fuera a causa del hecho de que la reluciente piel de Garrison le recordó a una patata frita de McDonald's.

—¿Qué tal? —dijo el chico con cariño mientras alargaba una mano para darle un apretón a Schmidty.

—Bienvenido de nuevo, Mr. Garrison —dijo Schmidty sonriendo.

Garrison le correspondió con una sonrisa antes de alargar el brazo hacia Theo, que cargó hacia él a toda máquina y lo envolvió en un gigantesco abrazo de oso.

—¡Gary, mi hombre! ¡Los chicos vuelven a estar unidos! ¡Ya puede seguir el idilio de los dos amigos!

—No me llames Gary —dijo Garrison mientras intentaba apartarse de un Theo empapado en sudor—. Y ni se te ocurra volver a decir eso del idilio de los dos amigos. Jamás. Ni siquiera cuando estés solo.

—Puaj, le has dejado la marca de la cara en la camiseta —saltó Lulu, señalando la silueta de sudor que había provocado Theo.

Por suerte, Garrison no se dio cuenta, porque ya se dirigía hacia Madeleine, que estaba roja como un tomate, completamente ruborizada de expectación. Aunque no se lo había confesado a nadie, la chica pensaba muchas veces en Garrison con cariño (sobre todo durante los fríos y grises días londinenses), pero ahora que lo tenía delante se sentía más que abrumada ante ese chico por el que bebía los vientos.

—Maddie...

—Hola, Garrison. ¿Has tenido buen viaje desde Miami? —preguntó Madeleine con nerviosismo, hablando a una velocidad sorprendente.

Antes de que el chico pudiera contestar, ella le dio un rápido abrazo y luego apartó la mirada, muerta de vergüenza. Lulu, que percibió la incomodidad en el ambiente, le pasó el brazo izquierdo por los hombros al recién llegado y le alborotó los rizos con ganas de broma.

—¿Y ese pelo? Casi está más largo que el mío.

—Ahora soy surfista —anunció con orgullo el antiguo enfermo de fobia al agua—. Así es como lo llevamos los surfistas.

—Hummm, ¿eso no es una tabla de *boogie*, y no de surf?

—¿Por qué siempre tienes que fijarte en los defectos de la gente, Lulu? —dijo Theo irritado, insistiendo sobre el tema—. Y no creas que no me he dado cuenta de que a él sí que lo has abrazado.

—Lo que tú digas.

—Queridos señores y señoritas, por mucho que me duela poner fin a esta conversación tan elevada e intelectual, la señora los está esperando, y ya saben lo vieja que es. Lo cierto es que podría morir en cualquier momento... —Schmidty se quedó sin voz.

Por primera vez, los alumnos miraron más allá del conserje y vieron el enorme artilugio metálico que había en la base de la montaña. Recordaba un poco a una grandísima jaula para pájaros, o quizá algo más macabro, como una celda con adornos.

—¿Qué es eso? —preguntó Lulu—. No es que tenga miedo, porque ahora subo muy a menudo en ascensores, y eso ni siquiera es un ascensor. Así que, hummm, ¿exactamente qué es, Schmidty?

—Es la última adquisición de la Escuela de Mrs. Wellington: el Tranvía Vertical de Summerstone —explicó el conserje mientras despertaba a Macarrones de un sueñecito provocado por el calor.

—Es un TVS espectacular —dijo Theo como si supiera de lo que hablaba.

—¿TV… qué? —preguntó Lulu con las cejas enarcadas.

—He tomado la decisión ejecutiva…

—Pero si tú no eres ningún ejecutivo…

—Vale, pues he tomado la decisión «no ejecutiva» de crear un acrónimo. Y deja que te diga que los acrónimos son el último grito en NYC, o sea, New York City.

—Niños, antes de que suban al TVS, tal como lo ha bautizado Mr. Theo, Mac tiene que realizar un registro en busca de aparatos electrónicos, ya que, como recordarán, Mrs. Wellington no aprueba los teléfonos móviles, las PDA, BlackBerry, ordenadores ni cualquier otro medio de comunicación tecnológico. Y, por favor, no crean que no confío en ustedes. Es la señora quien no se fía. Esta mañana, sin ir más lejos, apenas recordaba si le caían ustedes bien.

Y, dicho eso, el baboso bulldog de grandes ojos subrayados por bolsas se acercó a las maletas de los alumnos con paso bamboleante. Después se sentó con las patas traseras debidamente colocadas entre las patas delanteras y empezó a olisquear soltando resoplidos. Como es natural, un bulldog no puede olisquear sin soltar resoplidos; es del todo imposible. Resulta mucho más probable que un bulldog hable inglés que que olisquee algo sin resoplar. Entre un ruidoso resuello y otro, Macarrones también se valía de la lengua para dar lametazos, no solo a las maletas, sino también a las piernas de los niños. Cuando por fin terminó, el perro le dirigió a Schmidty una mirada de aprobación antes de derrumbarse sobre los adoquines, completamente exhausto después de semejante despliegue de energía.

—No quisiera ser impertinente, Theo, pero estoy atónita de ver que no has intentado colar ningún móvil —dijo Madeleine con honestidad.

—¿Qué puedo decirte, Maddie? Estás mirando a un hombre nuevo.

—Ay, madre —murmuró Lulu, con su ya tradicional expresión de exasperación en los ojos—. Y ahora cree que es un «hombre»…

Mientras Theo arrugaba la frente, molesto por el comentario, Schmidty se sacó un enorme llavero del bolsillo de las bermudas negras y empezó a buscar la llave correcta.

—¿Por qué se molesta en cerrarlo con llave? ¿Le preocupa que alguien suba solo por divertirse? —preguntó Garrison mientras se apartaba los rizos rubios de la cara.

—Había pensado dejar que se lo explicara la señora, pero, como rara vez dice nada que tenga sentido, supongo que será mejor que me ocupe yo mismo de ello —dijo Schmidty antes de aclararse la garganta—. Durante los últimos meses, Summerstone ha sido víctima de un ladrón muy persistente. Me parece que debemos de ir ya por el robo número siete, ¿o es el ocho? En realidad, podrían ser muchos más, porque a menudo no nos damos cuenta de que faltan cosas hasta días después —añadió mientras hacía subir a los niños y a Macarrones al tranvía y cerraba la puerta.

—¿Han hablado con el sheriff? —le preguntó Madeleine cuando la cabina empezaba a ascender por la montaña.

—Naturalmente que hemos hablado con el sheriff, pero él está igual de desconcertado que nosotros.

—¿Me lo parece solo a mí, o esta cabina es la más lenta de la historia? —preguntó Lulu con una sonrisa tensa mientras el tranvía seguía ascendiendo entre traqueteos y bandazos.

—O sea que ¿no ha habido ningún otro robo en la ciudad, Schmidty? —insistió Madeleine.

—Bueno, en realidad… no.

—¿Qué significa ese «en realidad… no»?

—Bueno, sí que entraron en la panadería Mancini, pero lo único que se llevó el ladrón fueron unas magdalenas, así que el sheriff está bastante seguro de que el responsable fue el joven Jimmy Fernwood. Su madre le hacía seguir una dieta sin azúcar bastante estricta…

—Siempre se la cargan los niños gorditos —intervino Theo con desaprobación—. Ya estamos con los prejuicios raciales.

—Theo, lamento informarte de ello, pero los niños gordos no constituyen una raza —explicó Madeleine.

—Caray, sí que se está cargando el ambiente aquí dentro. Cuesta trabajo respirar —comentó Lulu con expresión de angustia.

—Lulu, estamos al aire libre —le dijo Garrison.

—¿Alguien más oye ese ruidito zumbante? —preguntó Madeleine con voz de alarma—. Solo por curiosidad, ¿a qué distancia creéis que están esos insectos? ¿No iréis a decirme que están aquí en el tranvía, con nosotros?

—¿Este cacharro tiene teléfono de emergencia, una radio o bengalas, Schmidty? —interrumpió Lulu, justo cuando el anciano se disponía a contestar la pregunta de Madeleine.

—Me temo que no, Miss Lulu. Ya conoce a la señora, nada de tecnología de dudosa procedencia.

—Siento la necesidad de levantarme —añadió Lulu al notar unas conocidas palpitaciones tras el ojo izquierdo. Desde que tenía memoria, el miedo siempre se le había manifestado como una sensación palpitante detrás del ojo izquierdo.

—Pero si ya estás de pie, Lulu… —le dijo Madeleine con dulzura.

—Hummm —repuso la niña mientras arrugaba toda la cara—, ¿falta mucho para llegar? Tengo la sensación de que llevamos horas aquí metidos.

—Ya casi estamos, Miss Lulu —dijo Schmidty cuando el TVS se detuvo con una sacudida en lo alto de la montaña.

Lulu fue la primera en salir de la cabina, y enseguida se inclinó apoyando las manos en las rodillas para recuperar el aliento.

—Ya sabe que no soy de los que ponen una denuncia por cualquier cosa, Schmidty, pero esto es como tener un pleito esperando a caerles encima. Me sorprende un poco que Munchauser les haya dejado instalar este cacharro —comentó Theo mientras salía del TVS detrás del anciano.

—Puaj, Munchauser. Solo con pronunciar su nombre siento un sabor amargo en la boca —dijo Schmidty, con la misma expresión que un gato tratando de escupir una bola de pelo.

Garrison, el último en salir del TVS, acababa de plantar el pie derecho en tierra firme cuando el tranvía se desplomó sesenta metros abajo, hasta el pie de la montaña. Las barras metálicas se estrellaron produciendo un estruendoso estrépito.

—¡Madre mía de mi vida! —chilló Theo mientras caía de rodillas y se cubría la cabeza con las manos—. ¡El ladrón intenta asesinarnos! ¡Nos caen golpes por todas partes!

—Cómo detesto decepcionarle, Mr. Theo, pero nadie intenta asesinarlos.

—Aun así… —terció Lulu.

—Simplemente se me ha olvidado echar el freno del TVS. Suele pasarme a menudo.

—¡Schmidty, podría haber caído sesenta metros en picado y haberme estrellado contra el suelo! ¿Tiene idea de lo que podría hacerle un accidente así al cuerpo de un atleta? No creía que fuera posible, pero esto es aún peor que la grúa de madera en la que nos subió el año pasado —dijo Garrison, enfadado—. Vamos, que sí, que la madera estaba astillada y se aguantaba con cinta aislante y pegamento, ¡pero al menos no dejaba caer a la gente!

—Siento que me viene una jaqueca de tensión nerviosa —anunció Theo mientras se daba un masaje en las sienes—. Ni siquiera hemos visto aún a Mrs. Wellington y ya me cuesta respirar. Tengo la cabeza a punto de estallar.

—Hummm, por si se te había olvidado, Theo, ha sido Garrison el que casi cae sesenta metros en picado, no tú —dijo Lulu, lanzándole una clara indirecta.

—Siempre fijándonos en los detalles… —comentó el niño mientras se acercaba a la grandiosa verja de hierro colado de Summerstone. La entrada de viejo metal oxidado estaba instalada en un altísimo muro de pizarra que encerraba aquella isla de hectárea y media en pleno cielo.

Los cuatro niños siguieron a Schmidty y a Macarrones para entrar en el recinto de Summerstone, donde se encontraron con una estampa muy extraña. El descuidado césped verde estaba repleto de espantapájaros vestidos de esmoquin, carteles de CUIDADO CON LA REINA DE LA BELLEZA y lo que parecían una infinidad de trampas de resorte. Muchísimas cuerdas entrecruzadas cubrían toda la extensión del jardín, tanto vertical como horizontalmente, uniendo latas a escaleras de mano, cubos, redes, estrafalarios objetos metálicos, pequeños botes de cristal, jaulas, campanas y muchas otras cosas.

—Schmidty, ya sabe que me gusta el bricolaje como al que más; todas las Navidades fabrico mis propios adornos con un poco de pegamento y purpurina. Pero tengo que decirle que cuando se trata de la seguridad del hogar hay que llamar a un profesional. No puede andarse uno con estas chapuzas caseras.

El anciano se limitó a mirar a Theo con desconcierto. Casi no hacía falta que respondiera nada: aquello era seguridad al estilo Wellington.

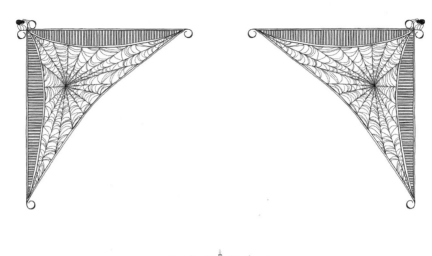

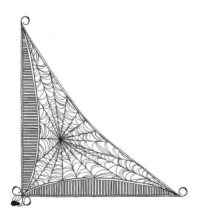

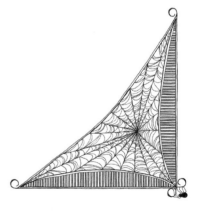

CAPÍTULO 4

TODO EL MUNDO TIENE MIEDO DE ALGO:
la esquelerofobia es el miedo
a los ladrones.

El vestíbulo de Summerstone era de proporciones aún más grandiosas que las de una mansión normal, pero, claro, es evidente que no se trataba de una mansión normal. El papel de pared con flores de lis color rosa estaba abombado y se había retorcido en algunos sitios, prueba de los muchos años que llevaba allí. Sobre la mesa redonda de la entrada había un ramo de hortensias rosa pálido recién cortadas, y a su derecha se levantaba toda una pared dedicada a fotografías enmarcadas de Mrs. Wellington en concursos de belleza.

Los niños dejaron su equipaje al pie de la escalinata, junto a la que Macarrones protagonizó una caída en plancha, con las patas extendidas bajo su cuerpecillo.

—Parece que Macarrones ha hecho más de la cuenta esta mañana con tanto sueñecito, bamboleo y resoplido —dijo Schmidty.

Mientras el bulldog roncaba plácidamente, el conserje se llevó a los cuatro niños al Gran Salón. A lo largo de todo ese año, los alumnos se habían acordado del Gran Salón y se habían preguntado si sus recuerdos eran exactos o si lo habían convertido en algo más fantasioso y enigmático de lo que era en realidad. Theo había intentado describirles a sus padres el estrafalario diseño de aquella estancia, pero, como tenía bastante fama de exagerar las cosas, ni su madre ni su padre se tomaron muy en serio sus descripciones. Para ser justos con los Bartholomew, hay que decir que el Gran Salón parecía cualquier cosa menos real. Al fin y al cabo, ¿cuántas veces se encuentra uno con una majestuosa sala llena de lo que parece ser una infinidad de puertas únicas, cada una diferente a la anterior, que decoran casi hasta el último centímetro de las paredes, desde el suelo hasta el techo? Había puertas con forma de cerradura y de reloj de pulsera junto a portones de establo y puertecillas laterales de aviones. Algunas eran tan pequeñas que solo un ratón podría pasar por ellas, mientras que otras ocupaban tanto que un autobús entero podría atravesarlas. Y allá a lo lejos, al final de la extensa estancia, había una vidriera desde el techo hasta el suelo con un retrato de Mrs. Wellington en sus gloriosos días de reina de la belleza, con corona y todo.

Aunque ninguno de ellos se habría atrevido a imaginarlo, en realidad el Gran Salón era mucho más espectacular y extraño de lo que recordaban. Hacía falta cierta dosis de absurdidad y de locura para crear semejante casa solariega. Se trataba de una mansión que únicamente Mrs. Wellington podría haber construido.

Schmidty llevó a los niños ante una puerta doble de color blanco y dorado que empujó con ahínco para abrir de par en par y, acto seguido, ante ellos aparecieron tanto la sala de estar como el aula de clase.

—Tengo el honor de presentarles a su honorable, moderna y sobre todo juvenil profesora, Mrs. Wellington —recitó monótonamente Schmidty, como si estuviera leyendo un guión.

Mrs. Wellington se volvió hacia los niños con una expresión completamente impasible en el rostro, pero ellos no se dieron ni cuenta: estaban demasiado absortos en la contemplación de la gruesa capa de maquillaje que cubría su rostro. Estaba claro que la anciana no se guiaba por el lema de «menos es más» en lo que a maquillaje se refería. Ataviada con un vestido sin mangas de color lavanda, enaguas y una estola gris al cuello, la directora se acercó a los cuatro niños pavoneándose y luciendo una sonrisa comedida. Se pasó las manos por su melenita castaña postiza, que estaba algo despeinada, y luego se detuvo junto a Schmidty.

—¿Quiénes son estas personitas?

—Sus alumnos, señora. ¿No le gustaría saludarlos?

—Querrás decir «mis concursantes» —puntualizó Mrs. Wellington con recelo.

—Sí, señora, son sus concursantes, que han vuelto: Miss Lulu, Mr. Theo, Mr. Garrison y Miss Madeleine.

—No, te equivocas, anciano mío, estos no son mis concursantes.

—Ya empezamos con las chifladuras... —masculló Lulu para sí.

—Gordinflón era cuatro centímetros más bajo y pesaba, sin lugar a dudas, algo menos. Musculitos llevaba el pelo mejor peinado y no lo tenía ni mucho menos tan rubio. En cuanto a Lulu...

41

—Señora, ¿de verdad tenemos que pasar por todo esto otra vez? —preguntó Schmidty con un suspiro de exasperación—. Los concursantes crecen todos los años, igual que hacía antes su pelo.

—Aquellos sí que eran buenos tiempos: cortes de pelo, champú, acondicionador… Caray, se me saltan las lágrimas al recordarlo. —Mrs. Wellington hizo una pausa para secarse los ojos con un pañuelito color lavanda—. Vamos a ver, ¿estamos seguros de que estos presuntos concursantes no son impostores? Ya sabes lo que pienso de los impostores. El sucedáneo de cangrejo no me gusta nada, conque imagínate los sucedáneos humanos.

—Desde luego, señora, pero le garantizo que estos son sus concursantes.

—A lo mejor deberíamos encerrarlos en el cobertizo del jardinero y pedir que nos envíen sus fichas dentales, solo para ir sobre seguro.

—Señora, me parece que sus respectivos padres no verían esa idea con muy buenos ojos, y es muy probable que el sheriff tampoco.

—Ya, pero ¿y si estamos ante un caso de suplantación de personalidad? No te olvides de lo que me sucedió a mí.

—Olvidar quién es uno mismo no cuenta como suplantación de personalidad.

—Muy bien —dijo Mrs. Wellington mientras acariciaba las suaves pieles grises que llevaba al cuello—. El cachemir ya no es lo que era, la verdad; esta estola huele a menudillos.

—Eso es porque es un gato, señora.

De hecho, sí que era un gato. Mrs. Wellington se había echado un esbelto gato gris con mucho estilo alrededor del cuello.

—No seas ridículo —repuso la anciana antes de detenerse y mirar abajo—. Aunque sí que parece tener boca. ¡Ay, no importa! ¡Qué más da lana de Angora que gato de Angora!

»Vamos a ver, concursantes, sentaos en vuestros sitios —pidió Mrs. Wellington mientras se quitaba del cuello a Fiona, la gata, y la dejaba en el suelo.

Madeleine, Lulu, Theo y Garrison se sentaron en el aula estrafalaria de la mansión. Los pupitres de los alumnos, dos en cada fila y cubiertos de pan de plata, iban reduciendo de tamaño fila a fila, empezando por una medida estándar hasta acabar siendo minúsculos. Mrs. Wellington, al frente de la clase, se apoyó en su gran mesa recubierta de pan de oro y asintió varias veces. Madeleine la miraba fijamente y del todo perpleja, pues no sabía por qué asentía la mujer. Al fin y al cabo, nadie había dicho nada desde hacía minutos. Como no quería ser maleducada, la niña sonrió y le correspondió asintiendo también.

—¿De qué va esto? ¿Os estáis haciendo señales? —le preguntó Theo a Madeleine de manera teatral.

—¡Qué cosas tienes, Theo! Solo intentaba ser educada, ya que Mrs. Wellington asentía.

—Vale —intervino Lulu—. Mrs. Wellington, ¿a quién le asentía?

—Eso —gruñó Garrison cuando Lulu acabó—. Aunque en realidad no es que me importe.

—¡Menuda forma de invadir la intimidad! Deberíais estar avergonzados —exclamó Mrs. Wellington, exaltada—. Asentía para mí misma. De verdad, ¿es que no puede una mujer mantener una conversación personal consigo misma sin que intentéis enteraros, hatajo de inadaptados?

—Bueno, no puedo hablar por los demás, pero yo no he oído nada de nada —respondió Theo con sinceridad.

Mrs. Wellington suspiró y volvió a asentir en dirección a Theo.

—¿Eso va por mí o vuelve a ser una conversación consigo misma? —espetó el niño—. ¿Soy yo el único al que esto le resulta muy confuso?

—No tenemos tiempo para tus confusiones, Theo. Nos encontramos en plena crisis de seguridad. Estamos en código magenta con un toque de turquesa, y todos sabéis lo grave que es eso.

—Pues no —repuso Theo enseguida.

—No es por ser impertinente, Mrs. Wellington, porque yo no soy de Estados Unidos, pero me parece que los colores del código de alerta de Seguridad Nacional van del verde al rojo sin pasar por el magenta ni por el turquesa.

—¿Seguridad… qué más has dicho? ¿Me hablas, acaso, de una especie de comuna hippie? Yo me refería a los Colores Delictivos de los Concursos de Belleza. ¿Es que no os han enseñado nada en el colegio? Todo el mundo sabe que el magenta quiere decir robo y que el turquesa alude a un comportamiento extraño por parte de un hombre misterioso.

—No puedo creer que nos haya hecho venir otra vez aquí en mitad de una oleada delictiva. Muchísimas gracias, señora —dijo Theo, sacudiendo la cabeza con aire compungido—. ¡Ya puestos, podría haberme internado en la cárcel de Riker's Island!

—Pues sí, por no mencionar el hecho de que, si no nos hubiera hecho subir a rastras hasta aquí arriba, ahora mismo podría estar jugando con la Wii —añadió Lulu.

—¿Cómo os atrevéis? ¡Os he hecho venir otra vez porque me necesitáis! No os habéis curado de vuestras fobias ni muchísimo menos. El hecho de que no haya logrado encontrar un equipo de seguridad dispuesto a colaborar en la investigación de los robos en la mansión a cambio de unas fotos firmadas mías de cuando participaba en concursos de belleza no ha influido para nada en mi decisión.

—Ya lo pillamos, Mrs. Wellington. Nos ha echado de menos. Eso nos conmueve, pero ya estamos curados —dijo Theo con dulzura.

—¿De verdad?

—Claro que sí —corroboró el niño mientras se ponía de pie para quitarse la sudadera—. Ay, Dios mío, qué vergüenza. No me puedo creer que me haya dejado puesta mi banda de vigilante de pasillos. Esta es solo una de las muchas cosas que he conseguido desde que superé mis miedos el verano pasado. Y, sí, he dicho «vigilante de pasillos». Así es, chicos, un funcionario electo.

—Vaya, Theo, eso es muy impresionante —dijo Madeleine con total sinceridad—. A lo mejor después podrías hablarme de tu campaña.

—Seguro que era el único que se presentaba —añadió Lulu a media voz.

—Qué va, eso es absolutamente… bueno, técnicamente no es falso, pero sí que está dicho con muy mala intención.

—Está bien, de manera que eres vigilante de pestillos, ¿y qué me dices de tus miedos? —los interrumpió Mrs. Wellington.

—Vigilante de pa-si-llos, y con mis miedos, bueno, me va de maravilla. Caso cerrado, cerrado a cal y canto, cerrado con pestillo en mi taquilla, que está en el pasillo que vigilo, porque lo que soy es vigilante de pa-si-llos —dijo Theo, y soltó una risa forzada antes de continuar—. Básicamente, soy un hombre libre.

—¿Por tu proclamación de «hombre libre» debo entender que te refieres a que ya no llamas a los miembros de tu familia cada hora?

—¡Eso es! Y me recorro todo Nueva York cogiendo autobuses, montando en metros, comiendo en establecimientos de higiene dudosa y, en general, echando por la borda toda medida de precaución: soy un auténtico tipo duro con gafas. Así es como me llaman en la calle: el tipo duro con gafas, que resulta que también ha sido elegido vigilante de pasillos. Y, para que quede constancia, aunque no se presente nadie más que tú, de todas formas se te considera un funcionario electo.

—No sé por qué lo dices con tanto orgullo. La verdad es que a la gente ni siquiera le caen bien los funcionarios electos —dijo Lulu con franqueza.

—Eso no es verdad. Mi padre le tiene mucho cariño al presidente… del Club de los Alces. Mucho cariño —espetó Theo a la defensiva.

—¿Y qué me decís los demás? ¿También estáis curados? ¿Madeleine?

—Como puede ver, voy sin velo y no llevo sprays. Y, si bien es cierto que las arañas y demás insectos no son mis mejores amigos, ya no me tienen obsesionada. Lo he superado, igual que la necesidad de rociar todas las habitaciones con insecticida, lavar la ropa en ácido bórico o llamar a Wilbur, el exterminador. Estoy bastante orgullosa de decir que este año incluso acaricié la barriga… peluda… de una… araña… en Holland Park, simplemente como actividad de ocio —farfulló Madeleine con incomodidad.

—¿Lulu?

—Hummm, yo subo en ascensores y cierro con pestillo las puertas de los servicios, aunque no tengan ventana. Estoy curada al cien por cien. ¿Me puedo ir ya a casa?

—Ay, mi pequeña cotorra de melena rubia rojiza, es evidente que no has perdido tu chispa. ¿Musculitos?

—¿Cotorra? —Lulu lo dijo moviendo los labios sin emitir sonido alguno y mirando a Theo antes de poner ojos de exasperación.

—«Oh, soy Lulu, y tengo una vida muy dura porque todo el mundo me pone unos motes monísimos, aunque yo en realidad soy una arpía» —soltó Theo con una quejumbrosa voz femenina.

—Gordinflón, me parece que estaba hablando con Musculitos, no contigo —dijo Mrs. Wellington, y el tono de sus labios se oscureció un poco. A causa de su gran cantidad de capilares, los labios de Mrs. Wellington se oscurecían cada vez que sentía vergüenza, exasperación o enfado.

—Todos los días me levanto a las seis de la mañana para acercarme hasta la playa y pasarme una horita inspirándome y cogiendo olas —contestó Garrison—. Es genial. Soy un playero de mucho cuidado, ahora el agua es mi vida. Así que ha sido muy guay veros, pero las olas me están llamando. Ya sabéis lo que quiero decir.

—Bueno, supongo que entonces tendré que dejar que volváis a casa. Y, por favor, no os preocupéis por Schmidty, por los animales o por mí misma… ya nos las arreglaremos de alguna forma. Aunque habría sido de gran ayuda contar con vuestros ojos y vuestros oídos para intentar impedir que esa bestia robe mis posesiones más preciadas...

—¡Vaya por Dios! —exclamó Madeleine, conteniendo un gritito—. ¿Se ha llevado reliquias de familia?

—¡Peor! ¡Mis pelucas! Ese ladrón se ha llevado hasta la última de mis pelucas, salvo la que llevo puesta. ¿Os hacéis una idea de lo que tarda Mrs. Luigi en conseguir que le crezca el pelo para fabricar una sola peluca? ¡Tres años! Y no han sido solo las pelucas, no; el ladrón también se ha llevado cuatro coronas, seis bandas, una bandeja de galletas de Casu Frazigu, dos fotografías enmarcadas mías de un concurso de belleza, cuatro pintalabios y una lima de uñas. Pronto no me quedará nada más que mi calva cabeza.

—¿Quién querría todas esas cosas? —preguntó Garrison.

—Alguna antigua rival de los concursos de belleza que se muere por cobrarse venganza. Todo el mundo sabe que una reina de la belleza no es nadie sin su pelo.

—Pero ¿no están ya todas sus rivales muertas a estas alturas? —se preguntó Theo.

—Os haré saber que al menos tres de mis antiguas rivales siguen viviendo... en una residencia de ancianos. Y os sorprendería lo deprisa que son capaces de moverse con un andador y una bombona de oxígeno. He puesto a Munchauser a trabajar en el caso. Está investigando a las señoras y cada semana me envía informes.

—Apuesto a que el que le está robando cosas es ese tipo del bosque. Ya sabe, Abernathy. Su mayor fracaso, el único alumno al que no logró ayudar... bla, bla, bla —explicó Lulu con voz de aburrimiento.

—Sí que resulta bastante sospechoso que Abernathy aparezca siempre durante los robos. Pero eso es imposible. Ni hablar, Abernathy no puede ser el ladrón: le aterroriza entrar en Summerstone —dijo Mrs. Wellington frotándose la barbilla.

—No soy ningún Sherlock Holmes (aunque creo que con cierto entrenamiento podría llegar a serlo), pero es evidente que Abernathy está compinchado con otra persona. Venga, Mrs. Wellington, ¿es que nunca ha leído novelas de detectives? Vamos, que no se necesita al CSI para resolver esto —concluyó Theo.

—Abernathy nunca ha tenido ningún amigo. La posibilidad de que haya encontrado un cómplice parece altamente improbable. Vive en el Bosque Perdido. ¿Con quién va a compincharse? ¿Con una ardilla?

—Puede que no con una ardilla, pero se sorprendería de lo que son capaces de hacer los mapaches —dijo Theo, como si supiera de lo que hablaba—. Tienen pulgares oponibles y una gran visión nocturna. Son ladrones natos.

—¡Bueno, ahí lo tiene! Los mapaches están detrás de todo. Supongo que ahora ya podemos largarnos —concluyó Lulu con decisión.

—Sí. Supongo que sí, aunque… Solo una cosita más antes de que os marchéis… —repuso Mrs. Wellington con una extraña sonrisa.

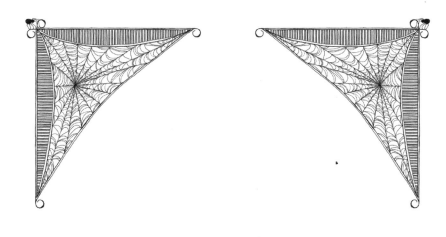

CAPÍTULO 5

TODO EL MUNDO TIENE MIEDO DE ALGO:
la ornitofobia es el miedo
a los pájaros.

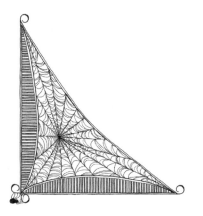

—Schmidty, por favor, apaga esas luces —pidió Mrs. Wellington con voz maliciosa a la vez que encendía el proyector y pasaba la primera diapositiva—. Aquí tenemos a la encantadora señorita Lulu Punchalower a las doce y media del mediodía, en el vestíbulo de la consulta de su dentista, en Brystale Avenue. Y, si me permites que te lo diga, qué barrio más bonito es ese en el que vives. Me encantan todos esos árboles y tanto verde.

—Hummm, esto es una invasión total de mi intimidad. Podría llevarla a juicio —replicó Lulu.

—Cómo no. Me parece que ya conoces a mi abogado, Munchauser —dijo la directora con una voz tan gélida como la mirada que le dirigía a la niña—. Y aquí tenemos a Lulu de nuevo, a la una y diez minutos, esperando todavía que alguien «coincida» con ella en el ascensor para subir, lo cual, por suerte para Lulu, por fin sucede a la una y treinta minutos, con lo que solo llegó con una hora de retraso a su cita. También tenemos las falsas visitas al lavabo cuando sale con la familia...

—Lulu, estoy horrorizado. ¿Es que ya no hay respeto por nada? —graznó Theo, sacudiendo la cabeza.

—¿Qué pasa? A lo mejor prefiero que me acompañe alguien cuando subo a un ascensor o cuando tengo que entrar en lavabos pequeños con pestillos complicados. ¡Vaya cosa! Puede que no esté curada del todo, pero «un poco curada» es más que suficiente para seguir adelante con mi vida —dijo Lulu, llena de indignación.

—Con la vida hay que hacer algo más que seguir adelante, Lulu —replicó Theo con voz conmovedora—. Supongo que es otra de esas lecciones que la gente no electa no puede entender.

—Y ahora vayamos a Londres...

—¿No habrá enviado a nadie a cruzar todo el Atlántico para comprobar qué tal me va? —preguntó Madeleine con nerviosismo—. Solo pasar por la aduana es ya una auténtica tortura, y eso por no mencionar el cambio de divisa.

—Nunca subestimes a una reina de la belleza con muchas millas de compañías aéreas en su haber —replicó Mrs. Wellington con una risilla burlona—. Madeleine, parece que casi has vaciado tu hucha de cerdito haciéndole pagos bajo mano a Wilbur, el exterminador.

—¡No es una hucha de cerdito! Es un fondo para viajes.

—Oh, disculpa, querida. Un fondo para viajes puede saquearse mucho más dignamente en aras de la fumigación y la protección del dormitorio con tela metálica. Sí, querida niña, tenemos fotografías del velo que te has estado poniendo para dormir, aunque siempre te despiertas temprano para quitártelo y para que tus padres no lo descubran. Absolutamente vergonzoso.

—No puedo creer que se haya tomado la molestia de recorrer toda esa distancia para comprobar qué tal me iba. Con una carta habría bastado —le dijo Madeleine, gruñona, a la directora de la escuela.

—¿Debo suponer acaso que me habrías dado un informe sincero? Me parece que no.

—¡Ay, yo lo intenté, Mrs. Wellington! Pero una plaga de cucarachas americanas invadió el Reino Unido. Algo relacionado con el calentamiento global…

—«Deja ya de hacer el veleta y ponte a salvar el planeta» —proclamó Theo con orgullo.

—Me estuvieron bombardeando con imágenes en la tele. No podía arriesgarme a que un mutante se paseara por encima de mi cara de noche, mientras todos mis sentidos están sumergidos en la fase REM. Esas cucarachas podrían haberme puesto huevos en el pelo, en las cejas… ¡hasta en las pestañas, jolín! Sencillamente no podía permitir que ocurriera… —Madeleine se quedó sin voz antes de agachar la cabeza, avergonzada.

—Y luego tenemos al… ¿surfista? —dijo Mrs. Wellington, mirando a Garrison con suspicacia.

—Pues sí, así es. Soy un surfista. Me encanta el agua —declaró Garrison con voz temblorosa.

—Bueno, es verdad que tienes un traje de neopreno —comentó Mrs. Wellington mientras apretaba el mando para cambiar de diapositiva— y que estás moreno y…

—Siento interrumpir, pero tengo que decirlo. Creo que Garrison está demasiado moreno. Es evidente que necesita que alguien le recuerde los peligros que entraña la exposición al sol —intervino Theo con voz de sabihondo—. Si sigue así, acabará hecho una uva pasa antes de cumplir los treinta. Y un buen amigo no deja que sus amigos acaben convertidos en uvas pasas.

—Tal como iba diciendo, Garrison —prosiguió Mrs. Wellington sin hacer caso a los comentarios de Theo—, puede que estés moreno y tengas una tabla, pero ¿eres un surfista de verdad? No. Sin embargo, para hacerte justicia, debo decir que tiene muchísimo mérito levantarse tan temprano para caminar hasta la playa, acabar lleno de arena, mojarse el pelo en un lavabo público y luego ir al colegio.

—¿El lavabo público de la playa? —murmuró Theo con repugnancia. Solo con pensarlo, le daban ganas de bañarse en desinfectante de manos.

—Las corrientes son como brazos que tiran de mí en diferentes direcciones. Hay que tener en cuenta que hace muy poco que aprendí a nadar a lo perrito en una piscina. Y todos esos temporales han dejado el mar aún más picado. También están los tsunamis y los huracanes, las inundaciones… ¡es que es demasiado! ¡No se lo diga a nadie, por favor! Ese es mi nuevo yo: Garrison, el surfista. Mi padre incluso ha dejado de burlarse de mí… No puedo volver atrás.

—No puedes empezar a construir una casa por el tejado —dijo Theo, sacudiendo la cabeza mientras juzgaba a Garrison.

—Vaya, y ahora, ¿qué? ¿Eres obrero de la construcción? —protestó Garrison.

—En serio, Theo, nunca te había visto regodearte tanto con las desgracias de los demás. Deberías estar avergonzado —dijo Madeleine con mucho sentimiento.

El niño palideció y se llevó una mano al pecho en un gesto teatral, a todas luces herido por el comentario de su amiga.

—Y luego tenemos al Gordinflón.

—No es necesario que pierda el tiempo conmigo. He sido ejemplar. Sí, claro, siempre hay algún que otro momento en el que siento alguna preocupación, pero nunca es algo irracional. Solo cosas cotidianas como devolver los libros de la biblioteca dentro de plazo, porque dejadme que os diga que, de cinco centavos en cinco centavos, al final se nota.

—Gordinflón, ni siquiera voy a detenerme en esos horribles disfraces que te pones para espiar a tu familia, o en los informes que entregas a tus padres sobre las salidas de tus hermanos.

—¡No puede delatarme! ¡Me matarían! Acabo de convencerles de que es cosa del portero. Sí, vale, se han dedicado a lanzarle huevos encurtidos de la tienda de delicias coreanas, pero ese hombre es un tipo fuerte. Podrá soportarlo.

—No te preocupes, Gordinflón. Me interesa mucho más hablar de tu plan de deforestación personal.

—Menudo ecologista estás hecho… —se burló Lulu.

—Hummm, Lulu, ¿no has oído mis eslóganes? Soy un gran defensor del medio ambiente —dijo Theo antes de volverse hacia Mrs. Wellington—. Todo ese rollo de los árboles fue un simple malentendido. Creí que el presentador de las noticias había dicho «gripe *arbian*», como de los árboles. Venga ya, ¿quién iba a saber que «aviar» quiere decir «de las aves»? ¿Por qué no la llamaban «la gripe de las aves»? En realidad la culpa la tienen esos presentadores que se empeñan en ponerle nombres raros a todo.

—Me parece que necesitas ayuda —afirmó Lulu—, y no lo digo de una forma ni mucho menos cariñosa.

—Sí, bueno, pero es evidente que no es el único, ¿verdad? —saltó Mrs. Wellington—. ¿Y qué es esa abominación de postura? ¡Madre mía, es como si la evolución humana nunca hubiera tenido lugar!

Los concursantes inmediatamente echaron los hombros hacia atrás y se pusieron tiesos como varas.

—Bien —dijo la anciana con frialdad—. Ahora que hemos dejado claro que a todos os hace falta estar aquí, hay una cosa que debo preguntaros: ¿alguno de vosotros ha sido descuidado y ha hablado de nuestra institución con algún extraño, dándole sin querer la idea de que venga a robarme? ¿Recordáis tal vez haber hablado con alguien calvo y con una apremiante necesidad de conseguir pelo?

Madeleine levantó despacio una mano.

—Estoy del todo segura, quiero decir, convencida al cien por cien, de que no he hablado con nadie sobre nada relacionado con la Escuela de Mrs. Wellington. A todo el mundo le expliqué que había pasado el verano en un campamento de debate de Naciones Unidas en Nueva York.

Mrs. Wellington asintió, y acto seguido se dio la vuelta hacia Lulu.

—¡¿Qué?! —exclamó la niña a la defensiva, en respuesta a la intensa mirada de la directora—. Yo le dije a todo el mundo que había estado en un centro de detención para menores.

—Una historia dolorosamente verosímil —repuso Mrs. Wellington mientras miraba a Garrison.

—Yo no dije nada. Si pregunta, en Florida todo el mundo le dirá que el verano pasado estuve en un campamento de surf en Hawái.

—¿Y tú, Gordinflón? —dijo Mrs. Wellington con una buena dosis de duda.

—La información está en la caja fuerte, un lugar al que nadie tiene acceso, ni siquiera yo. Bueno, eso no es del todo verdad, porque la caja fuerte es mía, pero ya sabe lo que quiero decir.

—No, Gordinflón, me temo que no —dijo Mrs. Wellington con unos labios cada vez más oscuros—. Por favor, explícate.

—Bueno, tenía pensado explicarle a todo el mundo que había estado en una excavación arqueológica, o en un campamento espacial, o haciendo prácticas en la Casa Blanca. Algo emocionante de verdad, porque eso es lo que espera de mí la gente —aseguró Theo con altanería—, pero el inadaptado de mi hermano, ese del que Lulu quedó inmediatamente prendada, si puedo decirlo, en lugar de eso decidió explicarle a todo el mundo que había estado en un campamento para gordos.

—Una historia de lo más creíble. Por favor, felicita al inadaptado de tu hermano de mi parte —dijo la anciana antes de frotarse la barbilla y arrugar la frente.

—Mrs. Wellington, hace un rato ha explicado que Munchauser le enviaba informes. ¿Significa eso que finalmente recibe correo? —preguntó Madeleine, entusiasmada.

—No, Miss Madeleine —explicó Schmidty desde un lateral del aula—, me temo que es algo bastante más rudimentario que el sistema de correos. Munchauser llama por teléfono a un chico del pueblo y le transmite su informe, luego el chico lo transcribe en una hoja de papel y se acerca con su bici a la base de Summerstone, donde lo mete en el buzón. Despúes yo izo el buzón con la ayuda de un montaplatos.

—Eso suena facilísimo. Me ha convencido: tiraré el móvil a la basura en cuanto llegue a casa —dijo Lulu con sarcasmo—. A lo mejor incluso intento conseguir una paloma mensajera.

—Siento la necesidad de dejar constancia de que las palomas no son demasiado limpias, y no hablo solo de la gripe aviar, que, dicho sea de paso, no es lo que yo pensaba, un pájaro resfriado y moqueando por la nariz. Se sabe que las palomas transmiten toda clase de bichos, desde criptococos hasta chinches —explicó Theo con autoridad mientras su estómago rugía a todo volumen—. Me muero de hambre. ¿Cuánto falta para la hora de comer?

—Son las once de la mañana, Theo. —Lulu puso ojos de exasperación.

—Casi no he desayunado. Estoy intentando controlar las raciones de comida. Pero ¿sois conscientes de lo pequeña que llega a ser una ración de cereales recomendada? Es algo así como cuatro copos de maíz y media pasa. Vale, una pasa entera. ¡Pero no es suficiente para un hombre en edad de crecimiento!

—No te preocupes, Gordinflón. Comeremos como es debido en cuanto llegue nuestra última incorporación al concurso —anunció Mrs. Wellington como si nada.

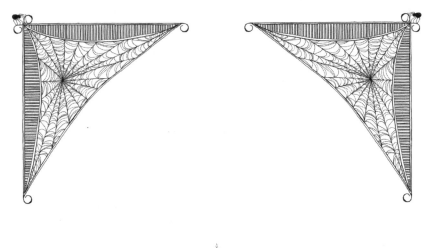

CAPÍTULO 6

TODO EL MUNDO TIENE MIEDO DE ALGO:
la isolofobia es el miedo
de estar solo.

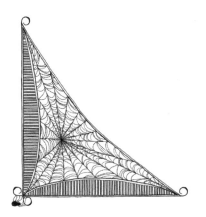

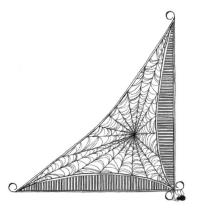

—«Creo que hoy voy a llorar, ¡porque me tengo que iiir! Ya casi echo de menos a mis padres, aunque todavía están aquííí» —desafinaba una niña pequeña en el asiento de atrás de un Honda Civic mientras sus padres, en el asiento de delante, sacudían la cabeza con frustración.

—Hija, me vas a volver loco con tanta cancioncita —dijo un hindú de mediana edad con un marcado acento.

—¡Papá! Prometo que no cantaré más en lo que queda de verano. ¡Pero déjame que me quede con vosotros! ¡Por favor, papá! ¡Por favor!

—No, no puede ser. Tus hermanos y tus hermanas se han declarado en huelga. Dicen que monopolizas toda nuestra atención las veinticuatro horas del día. ¡Nos haces trabajar tanto como veinte niños juntos! ¡Esto no puede seguir así!

—«¡Mamá, escapemos tu y yo de papááá! ¡Tenemos una vida nueva por empezaaar!»

—Ya lo hemos hablado. Es por tu bien, además de por el bien de toda la familia. ¿Acaso no te importan todos tus hermanos? ¿No quieres que sean felices? —preguntó desde el asiento del acompañante la madre de la niña, que era norteamericana.

—No si su felicidad significa quedarme sola.

—No vas a estar sola. Estarás todo el verano con una profesora y más alumnos.

—Vale...

—Y, por favor, intenta no cantar...

Nunca se había expresado el desagrado tan abiertamente como en la cara que puso Lulu al enterarse de que otro concursante iba a entrar en la Escuela de Mrs. Wellington. Sus mejillas se habían llenado de manchas coloradas, pero lo más excepcional era la mirada endurecida de la niña, que no apartaba los ojos de la directora. Theo miraba a Lulu con una mezcla de miedo y admiración. Nunca había sido capaz de asustar a nadie con una mirada; aunque tampoco con palabras, la verdad.

—No nos precipitemos. A lo mejor Mrs. Wellington está hablando de un gato o un perro nuevo —le susurró Theo a Lulu, hablando por la comisura de los labios.

La niña interrumpió momentáneamente su escrutinio de Mrs. Wellington para valorar lo que había dicho Theo. Tenía que admitir que era una posibilidad.

—¿Está usted hablando de un gato o un perro nuevo, o de otro animal de algún tipo? —le preguntó entonces a Mrs. Wellington con la cabeza ladeada hacia la izquierda.

Theo miró fijamente a la mujer, como si intentara obligarla a decir que sí. No solo deseaba tranquilizar a Lulu, tampoco a él le hacía mucha gracia que llegara un nuevo alumno.

—Me temo que no, Lulu. El nuevo concursante es humano, o eso afirman sus padres. Sin embargo, en caso de que nos sorprendiera con un abrigo de pieles y colmillos afilados, Macarrones estaría encantado. Se siente un poco solo desde que esos chiflados que viven más abajo, los Knapp, ya no dejan que Jeffrey suba aquí a jugar.

—No, gracias, Mrs. Wellington —la interrumpió Lulu—. Con esta pandilla de raritos ya tengo bastante. Devolvamos al nuevo. Que le reembolsen el dinero o le den un vale de compra. No me importa, pero que no venga nadie más. Haga lo que tenga que hacer, pero nada de concursantes nuevos.

—No puedo sino estar de acuerdo. ¿Y si es otro ejemplar como...? —Garrison se quedó callado mientras miraba a Theo.

—Eso mismo digo yo, Gary —dijo Theo, sin darse cuenta de nada—. A mí también me costaría aguantar a otra Lulu. Podría ser la gota que colme el vaso del vigilante de pasillos.

—Ya vale con eso de «Gary» —espetó Garrison.

—Un poco agresivo para un surfista, ¿no te parece? —masculló el niño, casi sin voz.

—A lo mejor estamos siendo negativos sin necesidad —intervino Madeleine antes de que Garrison pudiera contestarle a Theo—. A lo mejor el chico es un encanto y encaja bien en el grupo.

—No es un chico, es una chica —la corrigió Mrs. Wellington.

—Ah, vaya, eso es del todo maravilloso —dijo Madeleine con docilidad mientras le lanzaba una miradita a Garrison.

Era una actitud un pelín irracional y del todo posesiva, pero Madeleine sentía que no podría soportar que Garrison se quedara prendado de la nueva concursante. ¡Eso sería una auténtica tortura, caray! ¿Y si se trataba de una surfista enamorada de la playa? Madeleine sabía que era mezquino y que estaba mal, pero en silencio rezó por que la chica fuese escandalosamente poco agraciada. Solo con pensarlo, se sintió fatal. Era un deseo muy poco típico de ella, pero ya se sabe que las chicas enamoradas a veces se vuelven un poco tarumbas.

Mientras Mrs. Wellington hablaba largo y tendido sobre las muchísimas bondades de tener nuevas energías en Summerstone, alguien llamó a la puerta. Antes de que nadie pudiera levantarse para abrir, Schmidty entró con una niña menudita. La niña, medio hindú y medio americana, tenía una cara de lo más adorable, hasta con una sonrisa de dientes relucientes y dos hoyuelos simétricos. Vestida como iba con un traje pantalón de color azul, collar de perlas y un maletín, el estilo de la pequeña era muchísimo más adulto que su edad.

—Schmidty, ¿es esta el ama de llaves que encargué por catálogo? Debo decir que no tenía ni idea de las vistieran con tanta profesionalidad.

—Señora, encargó usted una aspiradora autolimpiable, no mano de obra infantil; en los países desarrollados, eso no está demasiado bien visto. Esta es Dahlia Hicklebee-Riyatulle, nuestra nueva alumna.

—Siempre quise tener un apellido que se escribiera con guión. Incluso le pedí al ratoncito Pérez que me trajera uno, pero nunca lo conseguí. Qué le vamos a hacer —dijo la anciana, caminando hacia la sonriente jovencita—. Bienvenida a la Escuela de Mrs. Wellington.

—Ay, Dios mío, estoy supermegaemocionada de estar aquí —dijo Dahlia con una voz animada y sumamente llena de energía—. Al principio dije que ni en sueños iba a separarme de mis amigos y mi familia durante todo el verano, pero después mi madre me explicó que estaría con otros niños, con usted y con Schmidty todo el tiempo. Y, la verdad, no tuve voz ni voto en la cuestión, ya que mis padres me dijeron que si no venía aquí me abandonarían en la cuneta de una carretera desierta. Después de eso, empecé a estar muy, muy, muy, muy, pero que muy ilusionada. Tan ilusionada, de hecho, que hasta escribí una canción. ¿Se la canto? ¿Alguien tiene una armónica a mano? Mi madre pensó que era mejor dejar la mía en casa.

—Eh… —balbució Mrs. Wellington mientras contemplaba los perplejos rostros de Theo, Garrison, Lulu y Madeleine—. Quizá debiéramos dejar las canciones para cuando lleguemos al bloque de talento. Vamos a ver, Dahlia…

—Prefiero que me llamen Dada. Todos mis amigos me llaman Dada, y yo ya nos considero a todos nosotros amigos, aunque técnicamente todavía no nos han presentado. Ay, Dios mío, ¿sentís eso? Nos estamos dando un abrazo de grupo imaginario de un extremo al otro del aula.

—Sí, bueno, siempre que lo dejemos en imaginario, todo seguirá siendo muy civilizado —dijo Mrs. Wellington mientras sopesaba a la hiperactiva jovencita—. ¿Por qué no sueltas la mano de Schmidty y tomas asiento?

—Vale. ¿Podría darme usted la mano? Me encanta darle la mano a la gente. Cuando le doy la mano a una persona, me siento muy conectada a ella. ¿Y qué hay mejor que sentirse conectada a la gente?

—El silencio —musitó Lulu antes de poner ojos de exasperación—. El silencio es mejor, sin duda.

Mrs. Wellington, que no hizo caso de la petición de mano de Dahlia, señaló al pupitre que había delante de Theo, creyendo que el chico sería el que mejor bienvenida le ofrecería a aquella parlanchina.

Dahlia enseguida empujó su pupitre para colocarlo entre el de Theo y el de Madeleine, mientras Garrison y Lulu la miraban desde atrás en estado de shock.

—Dahlia, eres nueva, así que pasaré por alto esta infracción, pero no me gusta demasiado que los concursantes cambien de lugar el mobiliario.

—Es Dada, ¿recuerda? Y lo siento. Solo quería sentarme cerca de mis nuevos mejores amigos —respondió la niña mientras miraba a Madeleine y a Theo con una sonrisa de maníaca.

—Detesto ser un aguafiestas, pero creo que esta relación va un poco demasiado deprisa para mí —dijo Theo—. Yo ni siquiera recuerdo cómo era tu apellido, tú ni siquiera sabes mi nombre, ¿y ya somos mejores amigos? Además, la verdad sea dicha, eres algo joven para mí. Vamos, ¿qué tienes, ocho años?

—Tengo diez, aunque soy muy bajita para mi edad. Yo creo que la edad es un estado mental. Los números no tienen tanta importancia, así que no permitamos que eso sea una traba para nuestra amistad.

—Bueno, estoy de acuerdo con Dahlia en eso de la edad —dijo Mrs. Wellington con toda seriedad.

—¡Dada! —corrigió la niña.

—Señora, cuando la siguiente fase de la vida es la muerte, la edad es algo más que un estado mental —le dijo Schmidty a Mrs. Wellington.

—¡No soporto la idea de morir sin mis pelucas! Ser enterrada con una sola peluca es demasiado espantoso. Una debe tener opciones, aun en la muerte —le murmuró la anciana a Schmidty, antes de volver sus ojos hacia la joven Dahlia.

Con una sonrisa de oreja a oreja, la niña rebuscó dentro de su maletín y sacó de él una criatura peluda y bobalicona atada con correa.

—Ojalá me hubiera hecho caso en eso de devolverla, Mrs. Wellington, de verdad. Se ha traído una rata con correa —comentó Lulu con desdén.

—¿Tiene puestas las vacunas de la rabia? —preguntó Theo con un gritito mientras apartaba su silla de la niña—. Las ratas, al igual que las palomas, transmiten un montón de enfermedades. Enfermedades para las que no tengo antibióticos en este preciso momento.

—Ensalada es una hurona, no una rata. Y ella sí que es mi mejor amiga del mundo, la mejor de las mejores. Además, es mi catadora oficial —dijo Dahlia con una sonrisa—. Ay, Dios mío, ese perro le está haciendo ojitos a Ensalada. ¡Van a hacer muy buenas migas!

Macarrones no le estaba haciendo ojitos a Ensalada ni mucho menos, y tampoco tenía intención de ser su mejor amigo. A decir verdad, a Macarrones ya no le interesaba hacer más amigos del reino animal. El bulldog se había sentido total y absolutamente aliviado cuando los padres del caniche Jeffrey, los Knapp, tuvieron una pelea con Mrs. Wellington que puso punto y final a las visitas caninas. Por lo visto, el matrimonio, que insistía en llevar ropa a conjunto en toda ocasión, había considerado una negligencia por parte de Mrs. Wellington negarse a ponerle un aparato dental a Macarrones para corregirle la dentadura inferior. Desde luego, hay que recordar que los Knapp llevaban a Jeffrey en cochecito, le daban de comer de un biberón y le hacían expulsar los gases religiosamente después de cada comida.

Dahlia hizo oscilar a Ensalada delante de Macarrones con la esperanza de afianzar así el flechazo animal mientras Madeleine la miraba sin salir de su asombro.

—Perdona que te haga una pregunta personal, Dahlia, pero ¿eres miembro de la realeza? —preguntó Madeleine con toda seriedad.

—¡Ay, Dios mío! ¿Es que parezco una princesa?

—No, ni mucho menos, pero los miembros de la realeza han utilizado tradicionalmente los servicios de catadores, y por eso lo pregunto.

—Ah —repuso Dahlia, asintiendo—, eso tiene mucho sentido, pero Ensalada prueba mi comida porque soy alérgica a los cacahuetes.

—Oye, no me gustaría empezar con mal pie, porque necesitamos los dos pies para caminar —dijo Theo, tropezando torpemente con sus propias palabras—, pero no has contestado a mi pregunta sobre las vacunas de la rabia. Y estoy sentado bastante cerca de ti, así que me parece que tengo derecho a saberlo.

—¡Qué gracioso eres! Ensalada lleva puestas todas las vacunas. Un día, cuando estés haciendo un brindis en mi boda, podrás contar esta historia. ¿No te encanta fabricar recuerdos?

—¿Es eso lo que estamos haciendo? —preguntó Theo—. ¿Soy yo el único que no se había dado cuenta?

—¡Tienes diez años y ya estás hablando de tu boda! —soltó Garrison, sorprendido.

—¿No os gustaría que existieran las bodas de amigos? ¡Así podríamos casarnos todos con todos! —exclamó Dahlia, rebosante de entusiasmo, mientras miraba a Theo, a Madeleine, a Lulu, a Garrison.

—Vamos a ver, Dahlia —interrumpió Mrs. Wellington.

—Dada.

—Hasta su nombre me da grima —le susurró Lulu a Garrison.

—Sí, faltaría más, Dada, ese apodo tuyo tan absolutamente señorial —siguió diciendo Mrs. Wellington—. Me gustaría presentarte a Theo, miedo a que peligros ocultos y/o la muerte los afecten a él o a su familia; Madeleine, miedo a las arañas y demás insectos; Lulu, miedo a los lugares cerrados; y Garrison, miedo al agua. Concursantes, esta es Dahlia, miedo a estar sola.

—Eh, espere un momento —dijo la recién llegada mientras acercaba la oreja a la boca de su hurona antes de asentir muchísimas veces—. Ensalada se siente un poco marginada porque no la ha presentado a mis nuevos mejores amigos, y ella es mi primera mejor amiga, ¡la mejor mejor amiga!

—Concursante —la advirtió Mrs. Wellington—, puede que tengamos que poner un límite de tiempo a tus intervenciones en la conversación, porque estoy bastante segura de haber envejecido por lo menos un año entre tantos mejores amigos. Vamos a ver, ¿se supone que debo creer que Ensalada habla nuestro idioma?

—Me temo que no —dijo Dahlia, negando con la cabeza.

—Entonces, ¿cómo puedes comunicarte con el animal? —insistió la mujer.

—Entiendo el huronés —contestó Dahlia con seguridad.

—¿Cómo que entiendes el huronés? —preguntó Mrs. Wellington, poniéndolo en duda.

—Sí, es una de las muchas habilidades con las que contribuyo a una amistad. Me parece que por eso Ensalada y yo somos tan populares. Entre las dos, tenemos mucho que decir.

—Sí, ya nos hemos dado cuenta. Deberías saber que da la casualidad de que yo hablo bastante bien el huronés.

Dahlia miró a Mrs. Wellington con seriedad antes de volver a inclinarse y escuchar a su hurona.

—Vale, esto resulta muy incómodo para mí, porque usted es amiga mía y Ensalada también es mi amiga, y no quisiera verme atrapada entre las dos, pero Ensalada dice que usted… está mintiendo.

—Da la casualidad de que soy miembro del Consejo de Huronparlantes Humanos de Norteamérica. ¿Qué tiene que decir tu hurona al respecto? —replicó Mrs. Wellington.

—Caray, esto se está poniendo un poco difícil para mí. Detesto verme metida entre dos amigas —dijo la niña antes de volverse hacia Madeleine—. Mad Mad, voy a necesitar apoyarme en ti durante estos momentos tan complicados en que me encuentro atrapada entre dos amigas reñidas.

—¿Mad Mad? —repitió Madeleine—. Lo lamento muchísimo, Dahlia, pero prefiero Madeleine o Maddie. Y eso de «apoyarte en mí», ¿lo decías textual o figuradamente? No es por complicar las cosas más aún, pero, si lo decías textualmente, quizá podrías dejar antes a Ensalada en el suelo. No es que no me parezca un verdadero encanto…

—Espera solo un momento, Mad Mad —la interrumpió Dahlia mientras pegaba su oreja al hocico de Ensalada—. Mrs. Wellington, Ensalada quiere que le diga una cosa, y a mí me cuesta mucho trabajo hacerlo, pero allá voy. Ensalada dice que no existe eso del Consejo de Huronparlantes.

—¿Alguien más tiene la sensación de estar atrapado en una especie de dibujos animados espeluznantes? —preguntó Garrison, muy serio—. Siempre me han dado repelús esos dibujos en que los animales hablan... No está bien.

—Hay un montón de cosas que no están bien en esta aula —añadió Lulu mientras miraba a Dahlia, que volvía a apretar el hocico de Ensalada contra su oreja—. Y ni siquiera estoy hablando del traje pantalón o el maletín de esa niña.

—Ensalada está muy convencida de que no sabe hablar usted huronés —espetó Dahlia.

—Se dice «huroniano». Y se lo voy a demostrar a ese pequeño roedor tan suspicaz. *Chhhjunnnchhhjunnn* —gorjeó Mrs. Wellington mientras Theo, Madeleine, Lulu y Garrison agachaban la cabeza, avergonzados. Todos ellos sintieron que aquella situación era muy poco decorosa, incluso para tratarse de Mrs. Wellington.

—Señora, me cuesta interrumpirla cuando intenta entablar una conversación con una hurona en un idioma inventado, pero siento que debo llamar su atención sobre el hecho de que está intentando entablar una conversación con una hurona en un idioma inventado. ¿No cree que sería un buen momento para hacer una breve pausa? —preguntó Schmidty mientras le daba unos leves codazos a la mujer.

—Bueno, no me iría mal repasarme un poco el brillo de labios y ponerme unas gotas de perfume. Me encantaría poder cambiarme de peluca, pero, claro, eso queda completamente descartado —bramó la directora mientras salía del aula detrás del conserje.

—Bueno, Mad Mad, Ensalada se muere por saber si escribes tu nombre con g, igual que el bollito francés, o como la niña de los cuentos de *Madeline*.

—De verdad que lo último que querría es parecer impertinente, pero ¿no te he dicho ya que prefiero Madeleine o Maddie, pero no Mad Mad?

—¿Qué? Ni hablar. No puedes decirlo en serio. Venga ya. Yo soy Dada. Ella es Lulu, tú eres Mad Mad, él es Gar Gar, y aquí está Thee Thee. ¡No puedes estropear el Grupo de Cinco Colegas Conmovedores!

—Me juego lo que quieras a que Gary ya empieza a sonarte muchísimo mejor, Gar Gar —le dijo Theo a Garrison, sonriendo con malicia.

Garrison soltó un fuerte gruñido de frustración antes de pasarse las manos por sus rizos rubios.

—Ni hablar, huronesa. De ninguna manera pienso permitir que me llames Gar Gar o que llames Mad Mad a Maddie, ni siquiera Te Te a Theo, aunque a lo mejor a él no le importa. Pero, en todo caso, ni hablar de Mad Mad ni de Gar Gar.

—Sí, y no existe eso del Grupo de Cinco Colegas Conmovedores. Acabamos de conocernos, y tú eres la más pequeña de todos, así que, si alguien tiene que ponerse a hacer de cabecilla del grupo, no vas a ser tú, ¿lo captas? —añadió Lulu con vehemencia.

Dahlia asintió teatralmente una vez antes de volver a acercar la oreja al hocico de Ensalada.

—Oh, no, chicos, Ensalada dice que no os caigo bien —dijo la niña antes de romper a llorar con espantosos sollozos—. ¡No me soportáis, ¿verdad?!

—Dahlia, está claro que eso no es verdad. Y me parece que quizá lo mejor será que dejes de escuchar, o de fingir que escuchas, o lo que sea que haces con esa hurona.

—¿Por qué me estás gritando? —le chilló Dahlia a Madeleine entre sollozos.

—¿Gritando? Está claro que no te estoy gritando. Solo he hablado en voz más alta porque tú estás llorando a bastantes decibelios.

—¿Es que estás enfadada porque el Imperio británico se acabó? ¡Porque yo no tuve nada que ver con eso!

—¿Cómo dices? ¿Has perdido totalmente la chaveta? ¿Por qué tienes que sacar ahora todo eso de la caída del Imperio británico? —preguntó Madeleine con contundencia.

—Nunca es buena señal que Maddie se enfade —masculló Theo sin dirigirse a nadie en concreto.

—Theo, ahora no es muy buen momento para eso —espetó Madeleine.

—Tienes toda la razón, y lo digo en calidad de hombre que ostenta una banda. —Theo hizo una pausa antes de mirar a Dahlia significativamente—. Así es, soy un funcionario electo.

La niña volvió a acercarse a Ensalada a la oreja y asintió con gran emoción.

—Ensalada dice que le sorprende mucho que alguien haya votado a una nube de azúcar. Eso lo ha dicho Ensalada, no yo, ¡así que no me odies, por favor, Thee Thee! Ensalada siempre les ha tenido manía a los gorditos. Me parece que es porque en el fondo tiene miedo de que te sientes encima de ella. ¡Ay, por favor! ¡Por favor, no me odies!

—Ah, ¿sí? —dijo Theo mientras miraba a la hurona directamente a los ojos—. Puede que yo sea una nube de azúcar, pero tengo conmigo a un caramelo mentolado extrafuerte —dijo el niño, señalando a Lulu—, a una onza de chocolate —siguió diciendo, señalando a Garrison—, y a un chicle de fresa —concluyó, señalando a Madeleine—. Así que no soy solo una nube de azúcar, soy una bolsa entera de golosinas. Y una bolsa de golosinas es más de lo que tú llegarás a ser jamás… ¡hurona!

—Theo —dijo Lulu, soltando un suspiro—, ¿acabas de echarle la bronca a la hurona?

—Tus respuestas son un asco, Theo. De verdad que tendremos que trabajar en eso —intervino Garrison mientras se apartaba su rubia mata de delante de la cara—. Además, te recomiendo sin duda que no recurras a alimentos para dar tus réplicas… Un momento, ¿esa es Wellington?

Garrison señaló a la última ventana, por la que los alumnos vieron entonces a Mrs. Wellington, seguida de Schmidty, seguido de Macarrones, persiguiendo a un mugriento pero rapidísimo Abernathy por todo aquel césped plagado de trampas de resorte y obstáculos.

—Supongo que lo habrán pillado robando algo de la casa —comentó Garrison, encogiéndose de hombros.

—Si mal no recuerdo, a Abernathy le da miedo entrar en Summerstone —dijo Madeleine, pensativa.

—Entonces, a lo mejor estaba robando muebles de jardín para su garito del bosque —añadió Theo con toda seriedad.

—¿Su garito? ¿Crees que ese habitante del bosque vive en un «garito»? —preguntó Lulu sin poder creérselo.

—Yo creo que ese hombre tan sucio nos está obsequiando con su amistad —dijo Dahlia con una sonrisa de oreja a oreja.

—Precisamente eso es algo que estoy segura que no está haciendo —repuso Lulu con firmeza.

—Está distrayendo a Mrs. Wellington y a Schmidty para que nosotros tengamos tiempo de unirnos más. Para mí eso es la verdadera amistad. De hecho, la verdad es que estoy tan conmovida que a lo mejor incluso voy a tener que cantar. «Te doy las gracias, hombre suciooo, a ti que vives en un refugiooo; venga, inventaremos grandes artilugiooos y nos comeremos un luciooo…»

—Espera. Puede que aquí doña Traje Pantalón haya dado en el clavo —dijo Lulu con seriedad.

—Siento hacer el papel de juez duro en este concurso de talentos, pero esa canción ha sido horrible —dijo Theo, con cara de sentirse terriblemente culpable—. No ha dado en ningún clavo, esa canción no vale ni para la coral de mi colegio, y eso que no tienen un nivel de exigencia precisamente alto, que digamos…

—¡No me refería a la canción! —exclamó Lulu mientras se levantaba enseguida de la silla—. Abernathy… es la distracción que utiliza el ladrón.

—¡Tenemos que registrar la casa! —propuso Garrison, que se dio cuenta de que sus dotes de liderazgo hacían mucha falta, saliendo ya hacia el Gran Salón.

—A lo mejor deberíamos esperar aquí a ver… Al fin y al cabo, no estamos entrenados para actuar de brigada contra el crimen —adujo Theo con una extraña mezcla de nerviosismo y culpabilidad.

—Theo —exclamó Madeleine—, no podemos quedarnos aquí sentados y dejar que roben los objetos de valor de Mrs. Wellington. ¡Piensa en todo lo que hizo ella por nosotros el verano pasado! ¡Y piensa en todo lo que hará por nosotros este verano si ese ladrón no la vuelve chiflada del todo!

—Está bien —accedió el niño—. El trabajo de un vigilante de pasillos nunca termina.

—¡No me dejéis sola! ¡Por favor! ¡Esperadme! —exclamó Dahlia, y echó a correr tras los demás.

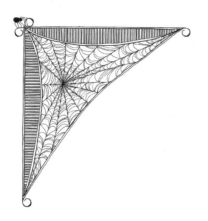
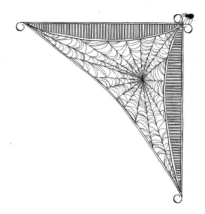

CAPÍTULO 7

TODO EL MUNDO TIENE MIEDO DE ALGO:
la efebifobia es el miedo
a los adolescentes.

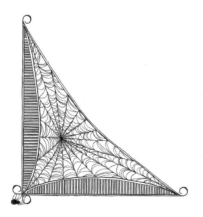
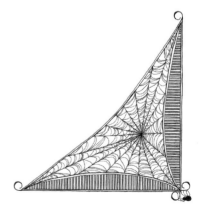

Después de lo que resultó ser una infructuosa búsqueda del ladrón, Mrs. Wellington, con el maquillaje parcialmente derretido, se plantó frente a Schmidty, Macarrones, Theo, Lulu, Garrison, Madeleine y Dahlia. Su cerebro funcionaba a toda máquina, desesperado por descubrir quién se escondía tras ese atrevido allanamiento de morada.

—Piensa con ganas, Musculitos —dijo Mrs. Wellington—. ¿Le has visto la cara a ese caco? ¿Aunque sea solo de refilón?

—Todos estamos suponiendo que se trata de un hombre, pero ¿quién puede decir que no sea una mujer? —preguntó Lulu.

—En un estudio muy poco científico que llevé a cabo en un sueño que tuve, demostré estadísticamente que hay más hombres que mujeres delincuentes —afirmó Mrs. Wellington antes de volver a centrar su atención en Garrison.

—Sinceramente, estaba demasiado lejos —dijo el chico—. Además, iba todo de negro, como si llevara un body.

—¿Me estás diciendo que es un bailarín? ¿Algún estilo en particular? ¿Ballet? ¿Danza contemporánea?

—Pues no se ha parado a medio camino para marcarse un paso de claqué. Yo lo único que sé es que llevaba un body negro.

—Me pongo a sudar solo de pensarlo… —dijo Theo con seriedad—. Seguro que le habrá salido un sarpullido horrible a consecuencia del calor. Espero que tenga loción de calamina en casa, o al menos los ingredientes para darse un buen baño de avena.

Dahlia se echó a llorar de pronto, para gran sorpresa de todos los que la rodeaban.

—¿Por qué lloras? ¿Es que tienes miedo? —preguntó Mrs. Wellington con compasión—. ¿O te preocupa acaso que al ladrón le haya acabado saliendo un sarpullido del calor?

—No es nada de eso —gimoteó Dahlia—. Ensalada cree que les caigo mal a los otros niños porque soy nueva.

Mrs. Wellington se quedó mirando a Lulu, Theo, Garrison y Madeleine con los labios de color carmesí. Casi como cuando les había enseñado el arte de sonreír y saludar, Mrs. Wellington les transmitió órdenes a ladridos:

—¡Decidle que se equivoca! ¡Decidle que sois todos amigos suyos!

—Tú no nos caes mal, solo nos cae mal tu hurona. De verdad, somos tus amigos —repitieron los cuatro con aire aburrido ante una Dahlia que ya sonreía.

—¿Mis mejores amigos? —preguntó la niña con un tono más alegre.

Mrs. Wellington les dirigió una mirada asesina a cada uno de sus alumnos.

—Claro —dijo Theo con reticencia.

—Faltaría más —masculló Madeleine.

—Ajá —farfulló Garrison.

—Lo que sea —dijo Lulu, poniendo ojos de exasperación y soltando un suspiro.

—Estoy tan contenta que voy a cantar una canción —anunció Dahlia, que no cabía en sí de alegría—. «Dada se iba a echar a lloraaar, pensando que la queríais echaaar, pero ahora ve que la queréis de verdaaad, ¡así que puede ponerse a cantaaar!»

—Puede que me expresara mal cuando he dicho que la canción podía ser uno de tus «talentos» —dijo Mrs. Wellington mientras se llevaba la mano derecha a la cadera de una forma muy femenina—, pero ya habrá tiempo de encargarnos de eso más adelante, porque hoy tenemos un día más que ajetreado. Concursantes, antes de que se haga la hora de comer, ¿por qué no os lleváis a Dada arriba? —pidió Mrs. Wellington con mucha calma.

—Esta no irá a compartir habitación con nosotras, ¿verdad? —preguntó Lulu, señalando a la pequeña con un gesto de la cabeza.

—Por supuesto que sí. Será como pasarnos todo el verano en una gran fiesta de ensueño. ¡Ensalada y yo estamos emocionadísimas! Hasta nos hemos traído gomas del pelo de sobra para que podamos hacernos trencitas unas a otras antes de irnos a dormir.

—Vale, esto es la Escuela de Mrs. Wellington, no el Campamento de la Pandilla de Barbie. No vamos a hacernos trencitas en el pelo ni a organizar guerras de almohadas, y tampoco tendremos sesiones de cotorreo hasta altas horas de la noche ni cantaremos juntas las canciones de los Jonas Brothers —dijo Lulu, estableciendo las reglas.

—A mí no me importaría cantar algo de los Jonas Brothers antes de irme a dormir —le dijo Theo a Lulu con toda sinceridad antes darse cuenta (otra vez) de que quizá no era el momento más oportuno.

Dahlia volvió la cabeza hacia Ensalada, que estaba torpemente subida a su hombro, y una vez más fingió que la escuchaba.

—Ensalada dice que cambiarás de opinión en cuanto veas lo mucho que nos divertimos Mad Mad y yo. Ah, y que cree que tu nuevo apodo debería ser Zanahoria, porque así tendríamos a Ensalada y a Zanahoria.

—No me llames Zanahoria. Y pareces un pirata, con esa hurona subida al hombro —le soltó Lulu con desprecio.

—¡Ay, Dios mío! A Ensalada y a mí nos encantan los piratas. Solo que nos gustaría que se vistieran algo mejor. ¿Por qué tienen que llevar prendas tan sosas? ¿Qué tiene de malo un bonito traje pantalón?

—Esta pequeñaja me tiene impresionado: tomarse los insultos como un cumplido es toda una habilidad —les aseguró Theo a los demás en un tono muy profesional—. Hay mucha gente que no se da cuenta de ello.

—Gracias por esa opinión tan estimulante, Gordinflón. Y, Lulu, no tienes de qué preocuparte: la hemos alojado en una habitación que teníamos libre justo enfrente de la peluquería —explicó Mrs. Wellington.

—No recuerdo haber visto allí ninguna habitación —dijo Garrison con cierto recelo.

—La señora me ordena que tapie siempre las puertas con papel de pared cuando una habitación ya no se utiliza —intervino Schmidty.

—Sí, eso tiene mucho sentido —comentó Lulu con un tono deliberadamente inexpresivo—. ¿Para qué cerrar una puerta cuando puedes pasarte el día entero tapándola con papel de pared?

—Concursantes, por favor, acompañad a Dahlia...

—Dada —corrigió la niña.

—Por favor, acompañad a Dada a su habitación para que Schmidty pueda hacer la comida mientras tanto.

—Está bien, vamos —accedió Lulu a regañadientes.

—Lulu, ¿puedo darte la mano? —preguntó la pequeña con una sonrisa enorme.

—Esa es una muy mala idea —le informó Garrison—. Yo creo que Theo es una apuesta mejor.

Dahlia dejó a Ensalada en el suelo antes de estrecharle la mano a Theo llena de entusiasmo.

—Espero que tengas mucha afición a lavarte las manos o a utilizar desinfectante, la verdad —le masculló el niño a Dahlia.

—¡Ay, Dios mío! ¿No te parece esto divertidísimo? —replicó ella, muy animada—. Un recuerdo más para ese brindis de la boda.

—Eres consciente de que en Estados Unidos la edad legal para casarse es a los dieciocho años, ¿verdad? —dijo Theo—. Y nada de hacerte ilusiones conmigo, ¿vale? No pienso dejar que nadie me atrape hasta haber cumplido por lo menos los treinta. En mi barrio tengo bastante éxito, solo para que lo sepas.

—Sí, claro, es el tipo duro con gafas —soltó Lulu con sarcasmo mientras subía la escalinata delante de los demás.

La habitación libre, como la había llamado Mrs. Wellington, estaba señalizada precisamente con esas palabras en la puerta. En su oscura madera había un pequeño cartel en blanco y negro que decía LA HABITACIÓN LIBRE.

—Bueno, pues este es tu cuarto, Dada. Nuestras habitaciones, como seguramente habrás visto ya, están al principio del pasillo —explicó Lulu mientras abría la puerta de golpe y ante ellos aparecía un pequeño y pintoresco dormitorio con papel de pared a cuadros escoceses blancos y negros y una colcha de estampado verde en la cama.

—Bueno, está muy bien para dejar aquí el equipaje, pero dormiré contigo y con Mad Mad.

—Ni lo sueñes —contestó Lulu.

—¡Sí lo sueño! ¡Sí lo sueño! ¡Sí lo sueño! ¡Sí lo sueño! —entonó Dada a modo de respuesta.

—A lo mejor podemos hablarlo más tarde, Lulu —terció Madeleine—. De momento, Dada, ¿por qué no deshaces la maleta? Nosotros estaremos allí, al final del pasillo.

—¿Por qué no deshacemos las maletas todos juntos? ¡Será un recuerdo fantástico que podremos compartir!

—Estoy bastante segura de que hablo en nombre de todo el grupo cuando digo que preferiría no conservar ese recuerdo —replicó Lulu antes de dar media vuelta y echar a andar hacia el dormitorio de las niñas.

—Sí, nos vemos dentro de unos minutos. En serio, no pasa nada —la secundó Garrison, y se fue detrás de ella.

—¿Mad Mad? —preguntó Dahlia algo desesperada.

—¿Qué dices, Garrison? —preguntó Madeleine, al tiempo que arrancaba pasillo abajo a toda velocidad, dejando a Theo allí solo, con Dahlia dándole la mano.

—Bueno… —dijo el niño con incomodidad.

—Me alegro muchísimo de que seamos los mejores amigos del mundo.

—No vayamos a precipitarnos, ¿vale?

Dahlia se puso a reír mientras tiraba de Theo para hacerlo entrar en su cuarto.

—¡Ay, Dios mío, Ensalada! —gritó el niño mientras señalaba a la hurona, que estaba en el suelo—. Se está ahogando con un… ¡cruasán!

Sin comprender del todo lo que acababa de decir Theo, Dahlia se inclinó para ver qué le pasaba a su hurona domesticada. Con apenas un segundo para escapar, Theo salió disparado por el pasillo más deprisa de lo que había corrido jamás. Para cuando llegó a la habitación de las niñas y cerró la puerta con pestillo, casi le había dado un ataque de asma.

—¡Ce… rrad… el… ba… ño! —les gritó casi sin aliento a Madeleine, Garrison y Lulu mientras seguía con la espalda pegada a la puerta y repasaba la habitación con la mirada, esforzándose por calmar la respiración. Estaba tal y como la recordaba: paredes de un rosa pálido con topitos blancos, retratos de gatos en tutú, cortinas color fucsia, una moqueta malva y edredones con un estampado de color cereza.

En el pasillo, Dahlia llamaba a la puerta a golpes y soltaba gritos histéricos.

—Theo, ¿qué narices ha pasado ahí fuera? —preguntó Madeleine.

—Parece un león marino —añadió Garrison.

—He tenido que huir corriendo. Era la única salida. Me tenía cogido de la mano como si usara esposas. Puede que no lo parezca, pero yo creo que es culturista.

—¿Una culturista de solo diez años? Por favor… —se burló Lulu.

—A lo mejor tiene una fuerza extraordinaria en las manos como consecuencia de alguna enfermedad exótica que le ha contagiado esa hurona. ¿Soy el único que cree que su conducta es como para que le hagan un documental en Discovery Channel?

—Pues sí, es un bicho raro de lo más rarito. Vamos, que está consiguiendo que me replantee todas las cosas malas que he dicho sobre ti, Theo —contestó Lulu, dándole la razón—. Y eso no es moco de pavo, porque mira que he llegado a decir cosas… más de las que pueda contar.

—Tienes que seguir trabajando en mejorar tus cumplidos, Lulu.

—¿Y qué narices pretendía cuando ha dicho eso del Imperio británico? Ni que yo estuviera orgullosa de cómo colonizó Inglaterra otros países. ¡Qué va! Está claro que no se me puede hacer responsable a mí. Si yo ni siquiera había nacido. ¡Ni mi madre había nacido aún, caray!

—¡Eso! ¡Ni tu abuela había nacido aún!

—Bueno, en realidad sí, Theo. Mi abuela ya había nacido. Por eso yo lo había dejado en mi madre.

—Ah, ahora lo entiendo.

—Es que es tan incordiante y tan poco guay… —Garrison se detuvo a pensar—. Es completamente antisurf.

—Hummm… si tú ni siquiera has hecho surf —señaló Lulu.

—Eso no quiere decir que no sepa cuál es el estado mental de los surfistas: se trata de ser zen, guay, de unirse con el agua.

—¡DEJADME ENTRAR! —bramó Dahlia a la vez que intentaba echar abajo la puerta usando su cuerpecillo como si fuera un ariete.

—No es que quiera distraer vuestra atención de la niña que está intentando echar abajo la puerta detrás de mí, pero ¿de verdad sabe hablar Mrs. Wellington con los hurones?

—Theo, está como una cabra, pero no es el doctor Doolittle. Eso ha sido una actuación como la copa de un pino —respondió Lulu con toda convicción.

—No estoy segura, vamos, que sí que adiestró a los gatos. Yo no la creería incapaz de haber encontrado una forma de comunicarse con los hurones —dijo Madeleine con toda seriedad.

—Maddie tiene razón. Tratándose de Wellington, nunca se sabe —contestó Garrison mientras miraba a la puerta, que se sacudía en el marco.

—¡Creía que éramos los mejores amigos del mundo! ¿Esto es una prueba? ¿Me estáis poniendo a prueba? ¡Por favor, yo os quiero, chicos! ¡Ensalada dice que a ella le caéis fatal, pero a mí no! ¡Os perdono por haberme abandonado en el pasillo! ¡Por favor, salid aquí fuera!

—¡Relájate un poco, niña! —gritó Lulu a través de la puerta—. Saldremos dentro de un momentito, tú tranquila, ¿vale?

—¡Vale! ¡Claro! Pero salid pronto, ¿eh? —lloriqueó Dahlia—. ¡Deprisa!

—Yo no pienso ser el primero en salir —les susurró Theo a los demás—. Todavía tengo calambres en la mano de lo apretujada que la tenía.

—Está bien, Theo. Saldré yo primero, tú tómate tu tiempo para darte un masaje en la mano. A lo mejor deberías sumergirla un rato en agua caliente —dijo Lulu con sarcasmo mientras abría la puerta.

Para gran sorpresa de la niña, el pasillo estaba vacío. Después de tanta fanfarria y tanto histerismo, Dahlia había desaparecido. Lulu no podía decir que se sintiera decepcionada. Al contrario, sintió un alivio tremendo. Le había preocupado más bien bastante que aquella niña intentara darle la mano o, peor aún, abrazarla.

Lulu no se olió ni oyó nada; el delito fue inodoro y silencioso, pero aun así fue un delito flagrante. No fue hasta que la infracción le hubo calado la camiseta y le mojó el hombro cuando la niña se dio cuenta de que algo le había caído encima. Algo muy asqueroso: era verde y viscoso, y tenía más o menos el tamaño de una moneda.

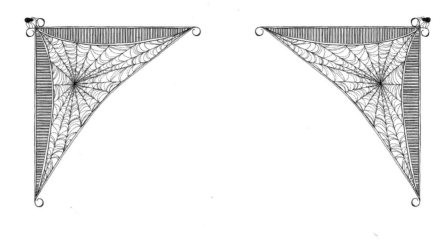

CAPÍTULO 8

Todo el mundo tiene miedo de algo:
la quiraptofobia es el miedo
de que te toquen.

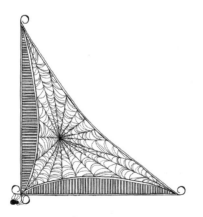

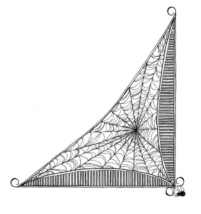

Lulu levantó la cabeza despacio, con miedo a ver qué se encontraría. De no haber estado en Summerstone, puede que no le hubiera dado mayor importancia a aquel grumo verdoso. Pero, a fin de cuentas, estaba en una residencia que contaba con un cuarto de M&M's, un «albergue» especial dedicado a todo tipo de criaturas cuyo nombre empezara con la letra M. En el M&M's de Mrs. Wellington podía encontrarse uno con cualquier cosa desde Manatíes hasta Musarañas Mexicanas, pasando por Mosquitos y Murciélagos de Mombasa. Teniendo eso presente, Lulu tragó saliva con gran esfuerzo y se obligó a mirar. La estampa que se encontró era digna de una actuación del Cirque du Soleil: Dahlia estaba colgando boca abajo de la lámpara barroca, con su hurona aposentada en un brazo.

—¡¿Esto es caca de hurón?! —gritó Lulu cuando Dahlia y Ensalada se soltaron de la lámpara y cayeron encima de la furiosa chica, dejándola inmovilizada en el suelo.

Al oír el alboroto, Madeleine, Garrison y Theo salieron corriendo al pasillo.

—¡Ay, Lulu, cuánto te he echado de menos! —ululó Dahlia mientras abrazaba a la iracunda chica de melena rubia rojiza—. ¡Atémonos por las muñecas para que nadie pueda separarnos nunca más!

—¡Quita de encima! —vociferó Lulu con toda la cara congestionada—. ¡Quitad las dos de encima ahora mismo!

—¡No me abandones! —lloriqueó Dahlia con mucho sentimiento—. ¡Seremos las mejores amigas del mundo para siempre! ¡Las mejores amigas en esta vida y en la siguiente!

—Caray, sí que espera compromiso. Yo ni siquiera sé si creo en el más allá, y ella ya está confirmando amistades. Siempre he admirado a la gente que sabe planificar con antelación —les dijo Theo a Madeleine y a Garrison.

—¡Socorro! —chilló Lulu—. ¡Quitadme a estas dos de encima!

—«¡Lulu y Dada son como una sola personaaa, la una a la otra nunca se abandonaaan! ¡Nos lo vamos a pasar tan bieeen que el verano pasará en un santiaméééén»! —cantó la pequeña, desafinando como siempre.

—Me parece que vamos a tener que tirar de Dahlia para despegarla de Lulu —le dijo Garrison a Madeleine.

—A lo mejor podría ayudarte Theo, más que nada porque es un chico. Tienes que admitir que parece un trabajo para caballeros.

—¡¿Podría alguien ayudarme de una vez?! —gritó Lulu.

Madeleine y Garrison se volvieron hacia Theo, que arrugaba la frente con una expresión extraña.

—Yo no puedo. La mano todavía no se me ha recuperado del todo.

Tras unos cuantos suspiros y varias sacudidas de cabeza, Madeleine y Garrison consiguieron sacar a Dahlia y a Ensalada de encima de Lulu. La niñita se reía y se retorcía mientras ellos tiraban de ella. Unos segundos más tarde, una sonriente Dahlia se había aferrado ya al brazo de Garrison.

Indiferente a la dulce expresión de la pequeña, Lulu se levantó del suelo con un mirada dura como el acero y caminó hasta colocarse justo delante de ella.

—Primero tu hurona se me hace caca encima y después me inmovilizas en el suelo. Pero ¿a ti qué te pasa? Esto no mola nada, ¿me entiendes?

—Siento muchísimo que Ensalada se te haya hecho caca encima, pero quiere que te diga que ella no lo siente, porque por lo visto no le caes bien, ya que me has abandonado en el pasillo. Para mí, sin embargo, ha sido bastante traumático ver que a una de mis mejores amigas se le hacía caca encima otra de mis mejores amigas. De todas formas, deberías saber que Ensalada solo come alimentos orgánicos.

—¡Caray, menudo alivio! Porque eso era justamente lo que más me preocupaba, si tu hurona comía alimentos orgánicos o no —replicó Lulu, refunfuñando.

—Lulu, ve a cambiarte la camiseta para comer —dijo Garrison antes de bajar la mirada hasta Dahlia, que seguía enganchada a su brazo—. ¿Qué hacías ahí arriba, colgada de la lámpara?

—Ensalada estaba cambiando una bombilla —contestó Dahlia, despacio.

—Qué detalle —respondió Theo sin ningún sarcasmo—. No sabía que los hurones supieran cambiar bombillas. Los mapaches es evidente que sí, pero ¿los hurones? ¿Quién lo iba a imaginar?

—Theo, dudo mucho que hable en serio —lo interrumpió Madeleine—. Ahora tendríamos que bajar abajo. Es casi la hora de comer, y ya sabéis lo mucho que detesta Macarrones que lo hagan esperar…

—Él no es el único. Yo estoy muerto de hambre —dijo Theo, encabezando la procesión hacia el comedor.

Madeleine lo siguió en un estado de absoluta irritación. Sabía que Garrison no soportaba a esa niña tan insufrible, pero no podía evitar sentir celos de ella. Ay, cómo le hubiera gustado a Madeleine caminar del brazo de Garrison. Solo con pensarlo se le salían los colores.

Mrs. Wellington, Schmidty y Macarrones se hallaban sentados a la elegante mesa del comedor, que estaba toda cubierta de encajes de color rosa, polvorientos candelabros y una vajilla decorada con rositas. Tres retratos de bulldogs ingleses, los predecesores de Macarrones, colgaban de las paredes verde menta.

—Lamento el retraso —dijo Madeleine con educación al entrar en el comedor—, pero hemos tenido un pequeño incidente con Dahlia.

Garrison llevó a la niña hasta la silla de al lado de Theo y la empujó con cuidado para que se sentara allí, lo cual fastidió bastante a este último.

—Oye, Gary, ¿seguro que no prefieres que Dahlia se siente a tu lado durante la comida?

—No, no pasa nada. No quiero ser acaparador.

Dahlia inmediatamente acercó su silla algo más a la de Theo y sonrió de oreja a oreja. Después se puso a Ensalada en el hombro y se inclinó hacia la hurona.

—Mad Mad —dijo la niña, llamando a Madeleine, que estaba al otro lado de la mesa—, Ensalada quiere que te dé las gracias por habernos dado una puñalada trapera echándonos la culpa por el retraso.

—Yo me iría con cuidado, o puede que alguien le dé a tu hurona una puñalada de verdad —espetó Lulu con una mirada asesina mientras se sentaba justo delante de Dahlia.

La niña volvió a inclinarse hacia su hurona y escuchó. Sin decir palabra, se puso de pie, cogió su plato lleno de comida y lo lanzó al suelo.

—¡Asesina de sándwiches! —siseó Theo a la vez que se apartaba un poco.

—¿Cómo te atreves? —bramó Mrs. Wellington—. ¡Esa porcelana tiene más años que Schmidty!

—Me ha obligado Ensalada —se excusó Dahlia con docilidad—. Cree que Lulu nos ha envenenado la comida.

—Vaya, eso se parece mucho a una historia digna de Theo —opinó Lulu.

—Dicho de otro modo —explicó Garrison—, que te lo has inventado.

—Para que quede constancia, eso me ha ofendido —dijo Theo, indignado.

—¿Por qué quieres dejar constancia de todo todo el rato? —preguntó Madeleine en voz alta.

—Dahlia, eres una niña absolutamente insoportable. Ahora, siéntate —dijo Mrs. Wellington con los labios de color carmesí—. Ya estaba que me subía por las paredes con esos fastidiosos Knapp, que no hacen más que dejarnos folletos de acupuntura canina en el buzón. Y ahora vas tú y me privas de poseer un juego completo de porcelana. No se te confiará ni un solo plato más; de ahora en adelante, sencillamente tendrás que comer del mantel.

—¿Es que no ha sufrido ya bastante Mrs. Wellington? No le queda más que una peluca, y ahora no tiene ningún juego completo de porcelana —le murmuró Theo a Dahlia.

—Un comportamiento completamente vergonzoso —lo secundó Madeleine, airada.

—Me ha obligado Ensalada. No ha sido culpa mía —repuso la niña con bochorno.

—Bueno, vamos a darle las gracias a Mesa —dijo Mrs. Wellington, alargando la mano hacia las incrustaciones de carey del centro de la mesa.

Sin embargo, para asombro y disgusto suyos, las incrustaciones de concha de la tortuga Mesa habían desaparecido. En honor a la ocasión en que la tortuga le había salvado la vida a Schmidty, todos los habitantes de Summerstone daban tres golpecitos en los trozos de su concha antes de comer.

—El ladrón se ha llevado a Mesa —musitó Mrs. Wellington, al tiempo que se levantaba de la silla.

—He perdido el apetito —balbució Schmidty, con los ojos anegados en lágrimas, mientras salía con paso torpe del comedor siguiendo a su señora.

Sin mostrar consideración alguna por la traumática situación, Dahlia empezó a darle de comer a Ensalada, que estaba subida a su hombro. Resultaba bastante sorprendente ver la facilidad con que comía la hurona de un tenedor, y cómo cerraba la boca incluso para masticar.

—Si alguna vez me aparece una alergia, haré que Macarrones sea mi catador de comidas —dijo Theo mientras observaba a la hurona masticar con delicadeza—. Pero no pienso dejar que se siente en mi hombro.

—Si se me permite la pregunta, ¿exactamente cómo has adiestrado a Ensalada para que te avise si hay cacahuetes? —se interesó Madeleine con gran sensatez.

—Bueno, resulta que ella tiene una alergia mortal a los cacahuetes, así que, si se muere, sabré que hay cacahuetes en la comida.

—Pero ¿qué clase de dueño de mascota eres tú? —gritó Theo—. ¡Que alguien llame a la protectora de animales!

—Es un trabajo peligroso, pero alguien tiene que hacerlo…

—¿Y Ensalada sabe que ese es su trabajo? Porque, por lo que puedo ver, estoy bastante seguro de que ella cree que es una mascota y nada más —dijo Theo, alterado, muy en su papel de defensor de los animales.

Dahlia, una vez más, se inclinó hacia Ensalada y escuchó o fingió escuchar o lo que sea que hiciera.

—Ensalada dice que es consciente del peligro, pero que está dispuesta a correr el riesgo porque yo soy su mejor amiga número uno. Además, también quiere que te diga que siente mucho haberte llamado nube de azúcar, y que te da las gracias por preocuparte por ella.

—Bueno, soy vigilante de pasillos. Es un curro duro, pero, como dice el director, yo soy el hombre adecuado para el trabajo.

—El niño adecuado para el trabajo —corrigió Lulu en voz bien alta.

—En el judaísmo, los niños pasan a ser hombres a los trece años, y yo ya tengo trece, Lulu.

—Sí, solo que no eres judío.

—¿Y qué? De momento todavía no me he decidido por ninguna religión. Prefiero dejar mis opciones abiertas, así que, si me disculpas, estaba intentando recibir un cumplido de una hurona.

—Pues vale. Podemos hablar de tu posible conversión al judaísmo más adelante, pero deberías saber que, si tienes pensado celebrar un *bar mitzvah*, no pienso comprarte ningún regalo.

—Lulu —preguntó Madeleine—, ¿era eso verdaderamente necesario?

—Vale, Theo, sí que te compraré un regalo.

—Ensalada no cree que debas invitar a Lulu a tu hipotético *bar mitzah*.

—Dile a tu hurona que duerma con un ojo abierto —le espetó Lulu a Dahlia.

—Siempre lo hace. Así puede avisarme si alguien intenta marcharse de la habitación mientras yo estoy dormida.

—Lo siento muchísimo, pero no creo que sea posible que una hurona duerma con un ojo abierto —dijo Madeleine con convicción.

La pequeña volvió a inclinarse hacia Ensalada, asintiendo cada pocos segundos.

—Ensalada dice que solo porque hables con acento británico no quiere decir que seas doctora en Veterinaria, así que no te des tantos humos.

—A tu hurona no le vendría nada mal una clase de buenos modales —repuso Madeleine con acritud.

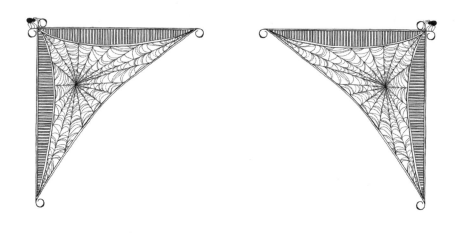

CAPÍTULO 9

TODO EL MUNDO TIENE MIEDO DE ALGO:
la blenofobia es el miedo
de lo pegajoso.

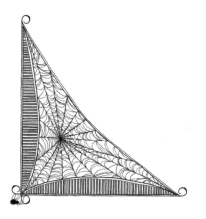

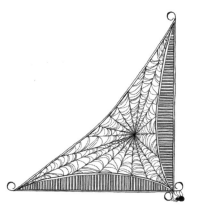

Mrs. Wellington y Schmidty regresaron al comedor con ánimo sombrío cuando los niños ya habían acabado de comer. La anciana ocupó de nuevo su sitio a la cabeza de la mesa, y Schmidty enseguida volvió a aplicarle pintalabios y colorete. La capa de maquillaje recién puesta hizo que Mrs. Wellington se pareciera más que nunca a un payaso, aunque un payaso horriblemente triste.

—Mis más sinceras disculpas por haberme ausentado de la comida de una forma tan abrupta —dijo la directora con solemnidad—. La pérdida de Mesa me ha dejado muy trastornada. No puedo evitar preguntarme qué será lo siguiente. ¿Que me roben las pestañas postizas? ¡No pienso permitirlo! ¡Tenemos que enfrentarnos a esa fuerza maligna! ¡Debemos combatir unidos, como si fuéramos un ejército!

—Mrs. Wellington, no quisiera interrumpirla, pero me parece que debería saber que yo soy pacifista. Eso quiere decir que no pienso pertenecer a ninguna organización militar —explicó Theo—. Sin embargo, estoy dispuesto a formar parte de un «destacamento», sobre todo si se da el caso de tener que llevar chaquetas a juego.

—Sí —exclamó Dahlia con un gritito—, está claro que deberíamos llevar todos chaquetas a juego. ¿Y por qué no hacemos también un álbum de recortes para guardar todos estos recuerdos que estamos fabricando?

—¿Te parezco yo de las que hacen álbumes de recortes? —replicó Lulu con sarcasmo.

—Concursantes, ya sea como parte de un ejército o de un destacamento, debemos ser fuertes. Tenemos que enfrentarnos a nuestros miedos, aunque solo sea por salvarnos a mí y mis posesiones terrenales. Así que retocaos el pintalabios, que nos vamos al Miedario —anunció Mrs. Wellington con estoicismo antes de salir del comedor.

—Mi madre prefiere que no lleve pintalabios hasta dentro de un par de años más, así que quizá podría ponerme solo brillo, o cacao —les dijo Madeleine a Schmidty y a sus compañeros.

—¿No tendrás cacao de labios con sabores? —le preguntó Theo—. ¿Cereza, o quizá zarzaparrilla?

—Theo, no es comida —dijo Lulu—. No te lo puedes comer.

—Ensalada se siente un poco marginada porque ella no tiene labios —terció Dahlia, algo compungida—. ¿A ella podríamos ponerle sombra de ojos?

—Creo que será mejor que cancelemos la sesión de maquillaje —declaró Schmidty mientras echaba a andar hacia el Gran Salón—. Una vez le has puesto sombra de ojos a un hurón, solo estás a un paso de que Macarrones acabe con pestañas postizas y colorete. Y, sinceramente, la última vez que pasó eso, tardó varios días en volver a ser él mismo.

Lulu, Madeleine, Garrison y Theo, con Dahlia aferrada a su brazo, lo siguieron poco después. Mrs. Wellington avanzaba por el Gran Salón caminando de una forma muy femenina, sincronizando perfectamente sus pasos con el tictac del reloj de bolsillo que había engastado en el suelo. Se detuvo delante de la puerta de contrachapado desgastado del Miedario y empezó a manipular la cerradura.

—No hay mejor preparación para un ejército que la preparación mental —afirmó la directora mientras hacía girar la combinación.

—Pensaba que habíamos quedado en llamarlo «destacamento» —interpuso Theo.

—Sí, desde luego, el destacamento.

—La señora nunca es tan transigente conmigo —contestó Schmidty, enfurruñado.

—A veces hace falta un hombre con una banda… un vigilante de pasillos, para ser exactos… que imponga su ley —fanfarroneó Theo mientras sacaba pecho.

—Me gustaría proponer un veto a los comentarios de Theo sobre el hecho de ser vigilante de pasillos, un veto que entre en vigor de forma inmediata y que dure lo que le queda de vida, o al menos lo que me queda de vida a mí —declaró Lulu en voz bien alta delante de todo el grupo.

—Bromea todo lo que quieras, Lulu, pero los dos sabemos que a la primera señal de problemas vas a llamar a…

—… a Garrison —se adelantó Madeleine—. Lo siento, Theo, pero creo que todos estamos de acuerdo en que Garrison mantiene mucho mejor la calma bajo presión y es muchísimo más valiente que tú. Pero, por favor, créeme cuando te digo que, si algún día quisiera hacerme un bocadillo, tú serías al primero al que llamaría.

—Por fin —masculló Mrs. Wellington al abrir la puerta—. Bienvenidos una vez más al Miedario, un gimnasio en el que ejercitar vuestros miedos.

La enorme sala, cuyas dimensiones se podrían equiparar más o menos a media cancha de baloncesto, estaba repleta de artilugios, sillones de dentista, ataúdes, agujas, lápidas, marionetas y muchísimas cosas más. Después de décadas de uso, el Miedario estaba bastante bien equipado para casi cualquier fobia infantil imaginable. Y, en caso de necesitarse información adicional, siempre estaba la Miedopedia, una pared entera de volúmenes encuadernados en piel que se ocupaban de todo el espectro de miedos, desde la aeronausifobia hasta la zeusofobia.

—Yo primero, concursantes —anunció Mrs. Wellington mientras entraba en la sala y pasaba por delante de un acuario en el que había tiburones tigre, mochuelos disecados y troles diminutos metidos en unas pequeñas bolsas de plástico transparentes.

—Solo quisiera recordarle a todo el mundo que «utilizar tanto plástico no es nada fantástico» —dijo Theo, señalando a todos aquellos troles enfundados en sus bolsitas.

—Tus eslóganes son un asco —protestó Lulu.

—Oye, Lulu, ¿por qué eres tan hostil? Yo no soy el enemigo. El enemigo es el efecto invernadero.

Antes de que Lulu pudiera contestarle nada, se quedó sin habla al ver un cementerio de antiguas muñecas de porcelana con los rostros agrietados, las cuencas de los ojos vacías y la pintura desportillada. Al avanzar, Madeleine, Theo, Dahlia, Garrison y Lulu sintieron una multitud de negros ojos que los seguían mientras por el aire llegaba una melodía muy animada. La música, generada por ordenador, se parecía muchísimo a la sintonía del programa *El precio justo*.

—Bienvenidos a *¿Qué es lo peor que podría pasar?* —anunció con orgullo Mrs. Wellington cuando el grupo dobló una esquina y se encontró delante de un escenario brillante y resplandeciente. Las bombillas parpadeaban y lanzaban destellos de un millón de colores mientras el volumen de la música no hacía más que subir y la anciana se acercaba a un micrófono—. Concursantes, subid al escenario, por favor —exclamó la directora de la escuela al micrófono con una enorme sonrisa de maníaca.

Muy animada por aquella música a todo volumen y las luces centelleantes, Dahlia corrió al escenario y se puso a saltar de aquí para allá. Había que verla: tenía los puños desatados y no dejaba de dar patadas. Hasta Ensalada parecía alarmada.

—¡Nunca había estado en la tele! —chilló Dahlia mientras Madeleine, Theo, Garrison y Lulu ocupaban sus puestos tras la hilera de atriles.

—Antes de que empecemos el programa de *¿Qué es lo peor que podría pasar?* de hoy, quisiera darle las gracias al patrocinador de nuestro estudio: yo. Así que ¡gracias, yo! —vociferó Mrs. Wellington en un tono fuerte y confiado—. Y, recordad, hablad solo cuando se os pregunte y hablad siempre que se os pregunte. ¡Alláááááá vamooooooos!

»Venida del gran estado de Rhode Island, aquí tenemos a Miss Lulu Punchalower —dijo Mrs. Wellington con su extraña inflexión de presentadora de concurso televisivo.

—¿Y qué?

—Lulu, quisiéramos saber qué es lo peor que podría pasar si te encontraras atrapada en un cuarto de baño sin ninguna ventana.

La niña se quedó mirando a Mrs. Wellington, de cuyos labios extremadamente rosados salían disparadas pequeñas bolitas de saliva.

—Hummm, supongo que gritaría, chillaría y aporrearía la puerta hasta que me oyera alguien.

—¿Eso es todo?

—Bueno, la verdad es que también estaría cagadita de miedo. Sentiría palpitaciones detrás del ojo izquierdo, se me agarrotaría el tórax…

—Pero ¿no quedarías repentinamente empapada en leche cortada?

—¿Qué? ¡No! —contestó Lulu, medio en broma… y justo entonces le cayó encima una cascada de grumosa leche agria—. ¡Qué peste! —exclamó entre náuseas.

Mrs. Wellington enseguida hizo sonar un timbre espantoso.

—Recuerda, concursante, habla solo cuando te pregunten… a menos que quieras más leche. ¡Y pasemos ahora al concursante Theo Bartholomew, procedente de la gran ciudad de Nueva York!

Theo se quedó helado, inquieto al ver cómo había quedado Lulu… y cómo olía.

—Bueno, Theo, nos gustaría saber qué es lo peor que podría pasar si no espiaras a tus hermanos y hermanas.

—Ah, pues no sé. Puede que tuvieran algún accidente, que acabaran arrestados, ¡o incluso muertos! —exclamó el niño con teatralidad.

—Sí, bueno, todas esas cosas también podrían pasar aunque los estuvieras vigilando. Lo que queremos saber es qué es lo peor que podría pasarte a ti si no pudieras seguirlos.

—Bueno, seguro que envejecería por lo menos dos años en el transcurso de una sola noche, únicamente a causa de tanta preocupación.

—Pero ¿no acabarías embadurnado con queso para untar mohoso?

Theo se preparó para la embestida del queso de untar mohoso, pero, para gran fastidio de Lulu, el queso no llegó. La chica, que estaba cubierta por entero en leche de hacía dos semanas, tenía la firme intención de que los demás sufrieran destinos similares al suyo.

—No, me parece que eso sería bastante improbable, a menos que estuviéramos en un almacén de queso caducado —contestó Theo con calma.

—¿Y qué me dices de acabar caladito de aceite de pescado?

Mientras los labios de Theo formaban una respuesta, un aceite denso y maloliente se derramó sobre él.

—¡Pero si yo soy vegetariano! —protestó el niño mientras Mrs. Wellington se volvía hacia Madeleine.

—Y ahora, desde el otro lado del charco, Madeleine Masterson, quisiéramos saber qué es lo peor que podría pasar si una araña se sentara a tu lado en un banco.

—Bueno, pues que me pondría espantosamente nerviosa, sentiría náuseas y después se me pondría toda la carne de gallina mientras intentaba contener las ganas de vomitar.

—Pero, aunque al final llegaras a vomitar, ¿no acabarías cubierta de miel y plumas? —preguntó la anciana mientras una cruda mezcla de miel y plumas de pollo recubrían a la niña.

Garrison y Dahlia, ambos nerviosos a causa de la expectación, les echaron un buen vistazo a los pringosos y apestosos destinos de sus compañeros.

—Dahlia, la más pequeña del grupo, que ha venido desde el centro de Kansas City, quisiéramos saber qué es lo peor que podría pasarte si alguna vez te quedaras sola.

—Bueno, que lloraría, tendría un miedo horrible y me sentiría perdida.

—Pero no acabarías empapada en agua de bañera sucia de un baño del día anterior, ¿verdad?

Dahlia, con Ensalada en el hombro, cerró los ojos cuando la cascada de agua marrón cayó sobre su pequeño cuerpecillo.

Después de que Garrison quedara pringado de compota de melocotones podridos, los cinco niños asquerosos, pegajosos, apestosos y mohosos, todos ellos habiendo experimentado ciertamente lo peor que podría pasarles, recibieron un manguerazo en el jardín y luego fueron a ducharse.

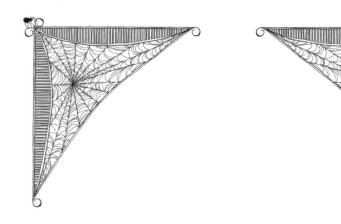

CAPÍTULO 10

TODO EL MUNDO TIENE MIEDO DE ALGO:
la somnifobia es el miedo
de quedarse dormido.

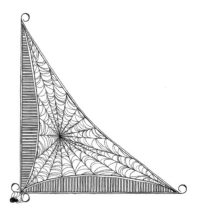

En comparación con la comida, la cena fue de lo más civilizada. No se rompió ningún plato ni se transmitió ningún mensaje de Ensalada. El largo y arduo día había dejado a todo el mundo agotado, tanto mental como físicamente, lo cual hizo que casi no hubiera ninguna conversación. Y, cuando Dahlia le pidió a Mrs. Wellington que obligara a Madeleine y a Lulu a dejarla dormir en su habitación, la anciana se limitó a encogerse de hombros. Por lo visto, también ella estaba exhausta.

Garrison, Theo y un Macarrones ataviado con pijama se quedaron profundamente dormidos al cabo de cinco minutos de regresar a su dormitorio. Theo ni siquiera se molestó en enviarles sus habituales «buenas noches» telepáticas a sus padres y sus hermanos. Ese día no hizo más que cerrar los ojos y acurrucarse junto al bulldog, que ya roncaba.

Por desgracia, las niñas no fueron tan eficientes a la hora de conciliar el sueño. Sin embargo, no hay que olvidar que ellas dos tenían que vérselas con Dahlia y con Ensalada. La perspectiva de dormir sola en su habitación había dejado a la pequeña en un estado de histeria absoluta.

—Por favor —dijo con sus enormes ojos desorbitados mientras caía de rodillas delante de Lulu—, dejadme dormir con vosotras, aunque sea en el suelo. Ni siquiera os daréis cuenta de que estoy aquí. Ensalada y yo no roncamos ni hablamos mientras dormimos. Nos estamos tan calladitas que somos casi invisibles.

—Ni hablar, renacuaja. Ya os he soportado bastante a ti y a esa hurona tuya durante todo el día.

—Lulu, a lo mejor estás siendo un pelín dura —dijo Madeleine—. Piensa que solo tiene diez años.

—Eso, solo tengo diez años y soy muy inmadura para mi edad, así que en realidad es como si tuviera ocho. ¿Quién obligaría a una niña de ocho años a dormir sola en una vieja casona extraña, con un ladrón que anda suelto por ahí, y también ese otro tipo raro, Abernathy...?

—Lulu —insistió Madeleine con rotundidad—, no podemos dejarla sola y punto.

—De acuerdo, está bien —accedió la chica—. Puedes dormir junto a la puerta. Así, si el ladrón vuelve, tropezará primero contigo.

—Lulu, ¿es eso éticamente correcto? —protestó Madeleine—. ¿Usar a una niña como sistema de alarma?

—No va a pasar nada de nada. Nos encontramos en la zona gris entre el bien y el mal. No hay nada de lo que preocuparse, Maddie, te lo prometo.

Dahlia y Ensalada extendieron su saco de dormir de color rosa en el suelo, delante de la puerta, mientras Madeleine se ponía su velo para dormir y se metía en la cama. Lulu miró a su amiga con atención, recordando los días en que había insistido en llevar el velo puesto en todo momento. Es verdad que habían hecho muchos progresos desde el verano anterior. Puede que, al final, los métodos de Mrs. Wellington no fueran una completa tontería.

A la mañana siguiente, temprano, Theo abrió sus soñolientos ojos castaños sin saber muy bien qué estaba pasando. No habría sabido decir exactamente el qué, pero algo iba muy, pero que muy mal. Intentó llamar a Garrison, pero no lo consiguió. Parecía tener algo metido en la boca. Enseguida pensó en el ladrón. ¿Era posible que el delincuente lo hubiera amordazado sin despertarlo siquiera? Un momento, espera, tenía las piernas y los brazos completamente libres. Aún echado en la cama, Theo levantó despacio el brazo izquierdo. El estómago empezó a rugirle a medida que acercaba la mano a la boca. Cuando las puntas de sus dedos rozaron algo áspero que parecía un calcetín de lana, el niño se puso a sudar. Empezó a tirar de aquello que tenía en la boca y, unos segundos después, comprendió lo que era: una hurona.

Theo se sentó mientras sacaba la cabeza de Ensalada de su boca. Con lágrimas en los ojos, la miró a la cara e intentó gritar, pero el animalillo le había dejado tantísimo pelo en la boca que silenció su espeluznante alarido. Mientras la bestia se escabullía por la cama, el trastornado niño se volvió hacia Garrison, que seguía durmiendo como un tronco. Tras decidir que Madeleine y Lulu le serían de más ayuda, corrió a cruzar el cuarto de baño para entrar en la habitación de las niñas. Las dos estaban todavía muy dormidas cuando Theo irrumpió en su cuarto.

—¡Socorro! ¡Socorro! —gritó con voz ronca—. ¡Creo que tengo huronitis!

—Theo, ¿qué pasa? —preguntó Madeleine, aún medio grogui, mientras se sentaba en la cama—. ¿Y qué eso que tengo en el pie? —gritó, destapándose de golpe.

«Eso» era nada y más y nada menos que Dahlia Hicklebee-Riyatulle.

—¡Buenos días, Mad Mad!

—Buenos días, Dahlia. ¿Te importaría mucho explicarme qué haces en mi cama?

—¡Estoy bastante seguro de que mi pregunta tiene preferencia, Maddie! —dijo Theo con firmeza—. ¿Por qué me he despertado con tu hurona metida en la boca?

—Caray, eso sí que es… *hardcore* —masculló Lulu mientras se apartaba el pelo de la cara.

—Ensalada a veces hace eso cuando tiene frío. Yo duermo con la boca cerrada, así que para mí no es ningún problema.

—Ya siento cómo se extiende la huronitis por mi cuerpo —se lamentó Theo, agarrándose la garganta con las dos manos—. Podría fallecer en cualquier momento. Sinceramente, me sorprende un poco seguir aún con vida.

—Hummm, Theo. Esa enfermedad te la acabas de inventar —dijo Lulu mientras ponía soñolientos ojos de exasperación.

—Es verdad —admitió el niño—, pero solo de forma temporal, hasta que llegue a identificar todos los síntomas.

—¿Los síntomas? —preguntó Madeleine—. Se te ve bien. Y Dahlia nos dijo ayer que Ensalada tiene todas las vacunas puestas.

—Dada —corrigió la pequeña a Madeleine antes de seguir—: No te preocupes, Theo, después de que ese niño loco de mi clase secuestrara a Ensalada y pidiera mi bocadillo de queso como rescate, decidí que seguramente era buena idea volver a vacunarla de todo otra vez.

—Es como si me muriera de ganas de comer un bocadillo de queso; ¡eso no puede ser bueno! —gritó Theo.

—Theo, tú siempre te mueres de ganas de comer un bocadillo. La única persona que piensa más que tú en la comida es Macarrones —repuso Lulu—. Y él es un bulldog inglés. Lo lleva en los genes.

Con miedo en la mirada y la sensación de la bola de pelo aún en la boca, Theo salió del dormitorio, corrió por el pasillo y bajó la escalera pasando junto a una Mrs. Wellington calva y en pijama.

—¿Adónde crees que vas corriendo así, Gordinflón? El desayuno no estará listo hasta dentro de una media hora.

Theo no le hizo el menor caso y siguió bajando los escalones de dos en dos. Cruzó corriendo el vestíbulo y el Gran Salón, hasta que por fin llegó a la cocina. Allí se dejó caer teatralmente de rodillas sobre el linóleo rosa que cubría el suelo, junto a Macarrones.

—Schmidty, esa hurona me ha contagiado algo, ya sabe cuál digo, esa que tiene el pelo gris.

—Mr. Theo, que yo sepa, solo tenemos a una hurona en Summerstone, así que, sí, sé exactamente de cuál me está hablando.

—Esa niña perversa… y no estoy hablando de Lulu, que de vez en cuando me da un puñetazo, aunque ella dice que solo quiere chocar puños conmigo…

—A lo mejor ha llegado el momento de buscar nuevos amigos, Mr. Theo.

—¡Me muero, Schmidty! ¡Me muero! No tengo tiempo de hacer nuevos amigos. En estos momentos, no tengo ni idea de cuánta gente podrá asistir a mi funeral. Estamos en plenas vacaciones de verano, todo el mundo estará fuera de la ciudad. Ay, no, un mal funeral. Eso es aún peor que una mala fiesta de cumpleaños. Doy gracias a los cielos por tener una gran familia —gimió Theo—. Y usted también vendrá, ¿verdad? Puedo contar con usted, Schmidty.

—Querido Mr. Theo, la probabilidad de que yo le sobreviva a usted es de más o menos mil millones contra uno.

—Bueno, igual que la probabilidad de contagiarse de huronitis por culpa de que una hurona duerma en tu boca. ¡Así es! Esa huroncita espantosa se me metió en la boca y ha dormido ahí. Y él, él ha dejado que sucediera —dijo Theo con furia, señalando a Macarrones—. Ese perro estaba a mi lado, roncando e incluso soltando algún gas de vez en cuando, y ni siquiera se ha molestado en despertarme y decir: «Oye, amigo, tienes una hurona en la boca».

—Macarrones nunca ha sido muy buen perro guardián. Aunque, técnicamente, eso es justo a lo que se dedica. Ve que pasan las cosas, pero nunca siente la necesidad de involucrarse.

—Y pensar que hoy iba a hacerte una paticura —le advirtió Theo a Macarrones—. Había pensado en un esmalte rosa claro que habría quedado genial con el tono de tu pelaje. Pero ya puedes ir olvidándote. Y, si me muero, ¡ni se te ocurra perderte mi funeral, Macarrones!

—¿Nos hará la pedicura hoy a todos? —preguntó Schmidty, lleno de entusiasmo.

—«Schm», ya sabe que le quiero, pero le he visto los dedos de los pies —dijo Theo, recordando los irregulares uñones marrones del conserje—. Necesita ayuda profesional.

—Como todos, Mr. Theo, como todos.

—¡¡¡¡¡¡Aaaaaahhhhhh!!!!!! —chilló Dahlia desde el piso de arriba.

Su grito hizo que Theo, Schmidty y Macarrones se estremecieran.

—Ay, cielo santo —exclamó el conserje mientras salía hacia el Gran Salón.

—¿Adónde va, Schmidty? ¡Padezco huronitis! ¡Tenga compasión de los jóvenes y los regordetes!

Por si no sucedían ya suficientes cosas, la voz de Mrs. Wellington atravesó de repente el Gran Salón.

—¡Schmidty! ¡Ve a buscarme el tutú! ¡Tenemos que marcharnos de inmediato!

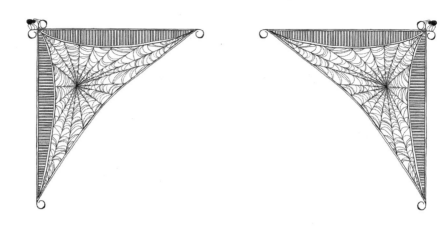

CAPÍTULO 11

TODO EL MUNDO TIENE MIEDO DE ALGO:
la emetofobia es el miedo
de vomitar.

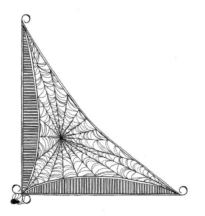

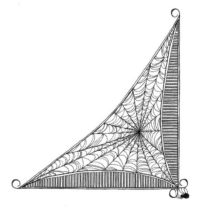

Madeleine seguía aún bastante cansada cuando Theo echó a correr en busca de una vacuna contra la huronitis, así que decidió cerrar los ojos otra vez. Antes de la intrusión del niño, había estado callejeando con la imaginación por las estrechas y ventosas calles de Londres, vestida con el elegante uniforme de su escuela. Aunque no era capaz de expresar muy bien por qué, el sueño le había hecho sentir algo más que un pelín de añoranza por su casa.

El último año había sido el más feliz de la niña. Por primera vez había disfrutado de una verdadera vida social, repleta de fiestas de pijama, merendolas y excursiones a Kensington High Street. Antes de dejarse sumergir en la nostalgia más absoluta, Madeleine se paró a pensar en todas las cosas que le faltaban a Londres, sobre todo días de sol frecuentes y Garrison. Fue al pensar en Garrison cuando la chica se animó a abrir los ojos otra vez.

Pasaron unos segundos en los que Madeleine bizqueó un poco, intentando por todos los medios enfocar la vista. Tras años imaginando que veía arañas por todas partes, la niña le había cogido bastante cariño a ese momento en que enfocaba de verdad. Solo que esta vez no conseguía hacer desaparecer la imagen de aquella araña, y por una muy buena razón: había allí una araña de verdad. Una enorme araña de color marrón y malva colgaba a tan solo cinco centímetros de las narices de Madeleine. La niña quería gritar, pero temía que Dahlia, que todavía estaba durmiendo a sus pies, se moviera con brusquedad. Madeleine era muy consciente de que cualquier movimiento repentino podía provocar un encuentro de piel contra patas peludas.

La niña cerró los ojos una última vez en un intento desesperado por conseguir hacer desaparecer la araña y, mientras rezaba en silencio, sintió un golpecito en la cama. Abrió los ojos despacio, medio esperando que todo hubiera sido un sueño, pero allí seguía la araña, solo que ahora tenía a un amigo muy grande junto a él. (Madeleine siempre suponía que las arañas que veía eran machos. Sinceramente, le parecían demasiado horrorosas para ser hembras.) Posado en la almohada, junto a la cara de la niña, el gato Errol observaba a la araña con una especie de devoción desquiciada. Resultaba dificilísimo adivinar si Errol quería comerse a la araña o sentarse a charlar un rato con ella. Con un brillo indescifrable en los ojos, el gato envolvió el hilo de la araña despacio con su garra, haciendo que la criatura se balanceara peligrosamente por encima de la cara de la niña.

La vida de Madeleine, al menos tal como lo veía ella en esos momentos, dependía de los caprichos de un gato. Y, como todo el mundo sabe, los gatos son muy poco de fiar. Es de lo más normal que un gato se interrumpa a medio comer, a medio jugar, a medio dormir, solo para darse un baño con la lengua, caray. ¿Y si a Errol le daba por hacerlo en ese preciso instante? ¡El gato dejaría caer aquella araña gigantesca en su cara! Era demasiado para que Madeleine pudiera hacerse cargo de la situación.

Mientras su estómago rugía a todo volumen, la niña apretó el cuerpo contra el colchón con todas sus fuerzas. Por muy absurdo que fuera, esperaba que el colchón se la tragara entera. Sin embargo, no ocurrió nada parecido, desde luego. En lugar de eso, Errol, que seguía balanceando la araña por encima de la cara de Madeleine, se sentó sobre su pecho.

Con la adrenalina recorriéndole todo el cuerpo, la niña dio un salto con el que envió tanto a Errol como a la araña por los aires. Lo que sucedió a continuación sería recordado por la impresionable mente de Madeleine durante los años venideros. Mientras la niña buscaba el suelo vestida con su pijama rosa, el gato interrumpió el delicado gesto con el que sostenía a la araña. El minino extendió todas las patas y erizó su pelaje mientras volaba en dirección a Dahlia, que seguía dormida a los pies de la cama de Madeleine. Errol se estrelló contra el pecho de la pequeña, lo cual provocó que esta gritara al levantarse de un salto. Mientras tanto, la araña marrón y malva voló por los aires trazando espirales y fue a aterrizar en la frente de Madeleine. En ese milisegundo, Madeleine no pensó. No razonó. Sencillamente se dio un tortazo en su propia cara. Y no fue un bofetón flojito, no; fue una fuerza de la naturaleza. Tan contundente fue el golpe, que la niña llegó a provocarse una leve conmoción cerebral.

—¡No! —gritó Lulu mientras bajaba de su cama de un salto y corría hacia Madeleine, que parecía aturdida.

Por desgracia, llegó tarde; mucho, demasiado tarde. La delicada frente de alabastro de Madeleine había quedado cubierta de restos de araña. Entre una buena cantidad de intestinos y pringue arácnidos, aún se veían las gruesas y peludas patas del bicho.

—Lulu —dijo Madeleine, casi sin voz—, no es… ¿verdad que no? Ha sido todo una alucinación. Debo de estar soñando, ¿verdad?

—Maddie, quiero que mantengas la calma. Todo irá bien. Solo voy a coger un pañuelo de papel…

—Dios salve a la reina —musitó Madeleine justo antes de vomitar y desmayarse.

La niña se despertó rodeada de algo más que alboroto; se despertó en el escenario de un crimen. Al levantar la vista desde su cama, vio un conjunto de rostros conocidos que expresaban tanto preocupación como repugnancia. Las mejillas le ardieron de vergüenza al percibir el acre olor del vómito en el aire. Todo el mundo seguía hablando en voz alta mientras ella intentaba por todos los medios comprender los hechos que habían tenido lugar. ¿Cómo era posible que una araña así hubiera dado con ella? ¿Había sido simple mala suerte, o podía ser algo más siniestro? Madeleine miró a Dahlia, que se había vestido y llevaba un chándal de color morado. ¿No sería cosa de aquella pequeña tan peculiar? Por mucho que Madeleine ansiara encontrar algún culpable, lo cierto es que no creía que aquella niña de diez años pudiera ser la responsable.

—Maddie, estás despierta —dijo Garrison con ternura, lo cual le levantó el ánimo abatido.

—¿De dónde ha salido? —le preguntó ella con debilidad mientras se sentaba en la cama.

—No hay una forma fácil de decir esto —masculló con torpeza Mrs. Wellington.

—Por favor, dígamelo, Mrs. Wellington —suplicó Madeleine mientras los latidos de su corazón empezaban a acelerarse—, por favor.

—Anoche volvieron a allanarnos la morada...

—Oh, vaya, lo siento —dijo Madeleine con un alivio tremendo, puesto que había pensado que las malas noticias estaban relacionadas con arañas.

—Y, mientras robaba dos de mis retratos, el ladrón también consiguió tirar unas cuantas cosas al suelo.

—Ay, qué calamidad. ¿Necesitará Schmidty ayuda para recogerlo todo?

—No, querida, aunque eres muy amable al ofrecerte, sobre todo teniendo en cuenta que Schmidty ya no es el conserje que fuera una vez...

—Señora —interrumpió el hombre—, le imploro que no se vaya por las ramas.

—Ah, sí, desde luego. Sea como fuere, mientras rebuscaba por la casa, el ladrón hurgó en varios tarros de la sala de M&M's. No todos los compartimentos de M&M's estaban abiertos, gracias al cielo, o habríamos tenido entre manos unas cuantas pitones de Magallanes. Sin embargo...

—Ay, madre mía, esto no tiene pinta de buenas noticias —dijo Madeleine mientras la comida del día anterior empezaba a subirle por la garganta.

—Al ladrón se le cayeron los tarros de doble M y triple M.

—Sé que me arrepentiré de preguntar esto —dijo Madeleine antes de tragar saliva haciendo ruido—, pero ¿qué son las doble M y las triple M?

—Maddie —intervino Garrison con voz serena—, a veces es cierto que la ignorancia da la felicidad.

—Pues sí, esta vez solo puedo estar de acuerdo con Gary —espetó Theo—. La verdad es que no creo que te guste saberlo.

—Ensalada cree que deberías enterarte, pero yo creo que no —dijo Dahlia, sonriendo—. Por cierto, me divertí muchísimo anoche, durmiendo a tus pies. Y, para vuestra información, no huelen nada de nada.

—Este no es el momento más oportuno, Dahlia —contestó Madeleine con severidad.

Normalmente, a Theo le hubiera encantado que Madeleine le dijera que no era el momento más oportuno a alguien que no fuera él, pero estaba demasiado preocupado por el estado mental de su amiga como para celebrarlo.

—Chicos, seamos un poco realistas: Madeleine lo acabará descubriendo de una u otra forma. Así, al menos, estará preparada —dijo Lulu con firmeza.

—Por favor, decídmelo de una vez.

—Las triple M son arañas Malianas Marrones y Malva. Parece que ya has entablado bastante amistad con ellas —comentó Mrs. Wellington con una sonrisa sardónica—. Y las doble M son Milpiés Montenegrinos. Pero no hay de qué preocuparse, ninguna de las dos especies es venenosa. De hecho, en la Europa oriental a los milpiés se los conoce por su gran intelecto.

—¿Cuántas de esas espantosas criaturas andan sueltas por ahí? —susurró Madeleine, presa del histerismo.

—Un centenar de cada especie —contestó la directora, estremeciéndose ya al ver lo que se avecinaba.

—¡¡¡¡¡¡Aaaaaahhhhhh!!!!!! —aulló Madeleine, abriendo la boca incluso más que un hipopótamo.

—Estoy bastante seguro de haber llegado a verle las amígdalas —le susurró Theo a Dahlia mientras se apartaba para evitar el grito ensordecedor de Madeleine.

—No hables de amígdalas delante de Ensalada, se pone supercelosa porque ella no tiene. En realidad, Ensalada quería tenerlas para que se las pudieran operar y así pasarse el día comiendo helados, o sea que ya puedes imaginarte lo decepcionada que se quedó cuando se enteró de que los hurones no tienen —repuso Dahlia, también en un susurro.

En respuesta a la extraña parrafada de Dahlia sobre las amígdalas de los hurones, Theo se limitó a asentir antes de dedicarle una vez más toda su atención a Madeleine.

—Maddie, tú no te preocupes, no pienso dejar que te pase nada malo —dijo Garrison con pose heroica.

—Garrison, ¿cómo puedes decir eso? Si ni siquiera tienes estudios de fumigación…

Si Madeleine no hubiera estado tan aterrorizada, la promesa de Garrison podría haberle parecido romántica, algo así como salida de *Lo que el viento se llevó*. Sin embargo, estaba demasiado concentrada en resistir el impulso de vomitar otra vez como para molestarse en ruborizarse ante el gesto de machito de Garrison.

—No puedo quedarme aquí. Summerstone es un agujero infestado de arañas y milpiés que andan sueltos por todas partes. ¡Por favor, no puedo soportarlo! ¡Lanzadme por la ventana! ¡O matadme sin más! ¡Podrían estar en cualquier sitio! ¡Absolutamente en cualquier sitio! ¡Un momento! ¡Me parece que estoy notando algo en la pierna! ¿Qué es? ¡Que alguien mire! ¡Se está moviendo! —chilló Madeleine mientras se ponía agitar brazos y piernas, tumbada sobre la cama como estaba.

—Miss Madeleine, tenemos que marcharnos en cuanto esté usted vestida. Me temo que los bichos son solo la mitad de nuestros problemas —anunció Schmidty con voz lúgubre antes de volver la mirada hacia Mrs. Wellington.

—El ladrón nos ha dejado una nota bastante inquietante —dijo la mujer, y le tendió la carta a Madeleine.

Querida Mrs. Wellington:
Sabemos lo que hace usted. Reúnase con nosotros a las cuatro de la tarde y afronte las consecuencias. Si no se presenta, le contaremos a todo el mundo la verdad sobre lo que ha estado haciendo ahí arriba, en lo alto de esa montaña. Y, aunque se presente, seguramente también se lo contaremos a todo el mundo, pero por lo menos tendrá usted ocasión de defenderse ante sus iguales.
El concurso de belleza empezará puntualmente a las cuatro de la tarde en el parque Franklin de Boston.
Saludos cordiales,

El ladrón

—La he encontrado esta mañana en el aula, sobre mi mesa —dijo Mrs. Wellington—. Está claro que es de una antigua reina de la belleza que busca la revancha.

—Me tiene un poco sorprendido que el ladrón se despida diciendo «saludos cordiales». ¿Cuántos ladrones hay que sean tan educados? —les preguntó Theo a los demás.

—Apuesto a que detrás de todo esto se esconde Munchauser —dijo Lulu en tono confidencial—. Es un adicto al juego, no lo olvidemos. Seguro que está hasta el cuello de deudas y busca cosas que poder empeñar.

—Si bien es cierto que Munchauser perdió una vez a su hija en una partida de póquer, a su gato en una partida de ajedrez y a su tía abuela Bertha en una de blackjack —explicó Mrs. Wellington—, estoy completamente convencida de que jamás me robaría nada. En realidad, pensándolo mejor, sí que podría imaginármelo sisando unos cuantos dólares de aquí y de allá, pero... ¿mis pelucas? ¿La concha de Mesa? No, eso sí que no lo creo.

—Tendríamos que irnos ya si queremos llegar a Boston a tiempo —informó Schmidty con rotundidad.

—¡Yupi! —exclamó Dahlia con entusiasmo—. ¡Una excursión!

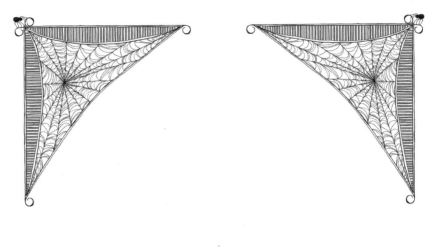

CAPÍTULO 12

TODO EL MUNDO TIENE MIEDO DE ALGO:
la gerontofobia es el miedo
a los ancianos.

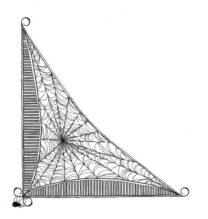

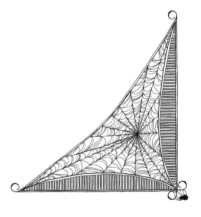

Madeleine estaba sentada en el porche de Summerstone con cara de pocos amigos. Iba vestida con una improvisada armadura que consistía en un gorrito de ducha, su velo para dormir y un poncho de plástico para la lluvia que le venía enorme. En su frente había quedado marcada una silueta bastante grande de esa bestiecilla de ocho patas que con tanto vigor había aplastado. La impresión tenía tal lujo de detalles que Theo era capaz de distinguir incluso los pelos diminutos de las patitas de la araña.

—Theo, dime la verdad: es espantoso, ¿a que sí? —preguntó Madeleine, muy nerviosa.

—Oh, no —contestó el niño enseguida—, casi ni se nota… si no te miran a la cara.

—¡Theo! —gritó Lulu—. Pero ¿a ti qué te pasa?

—¡Lo siento! No tenía ninguna mentira preparada, y después me he quedado como hipnotizado por los detalles de esa marca, y entonces, sin darme cuenta, ya estaba diciendo la verdad. Me parece que a lo mejor esa araña tenía poderes hipnóticos, así que no me eches a mí la culpa... por haber dicho eso tan insensible que he dicho... —El niño se fue quedando sin voz mientras Dahlia acercaba la oreja al hocico de Ensalada.

—Theo, Ensalada quiere saber qué será lo siguiente. ¿Tienes pensado preguntarle a Madeleine por esos dientes torcidos tan británicos que tiene? Básicamente, Ensalada cree que eres una nube de azúcar supermaleducada —prorrumpió la niña con una sonrisa.

—Perdona, pero tengo los dientes perfectamente rectos —terció Madeleine, corrigiendo a Dahlia antes de abrir bien la boca para que se los vieran.

—Pero eres inglesa, ¿verdad?

—Sí, desde luego que lo soy.

—Ensalada creía que todos los británicos tenían los dientes torcidos —masculló Dahlia—. Lo siento. Ya sabes cómo son a veces los hurones, siempre creyéndose los estereotipos. Con sinceridad, no tengo ni idea de dónde oirá cosas como esa.

Por suerte para Ensalada, Madeleine estaba demasiado preocupada por la marca de la araña como para enfadarse por los prejuicios de una hurona.

—No creéis que vaya a quedarme cicatriz, ¿verdad? Tengo que dejarme crecer el cerquillo enseguida.

—¿Cerquillo?

—Lo que vosotros llamáis «flequillo» —explicó Madeleine—. No puedo pasarme la vida viéndome la marca de una araña cada vez que me mire a la cara. ¿Podéis imaginar algo peor?

—Huy, está claro que yo sí podría imaginarme algo peor. Pero, claro, así soy yo.

Lulu y Garrison se quedaron mirando a Theo con frustración. Ese chico no tenía ni una pizca de sutileza.

—Ah, que era una pregunta retórica. ¿Es eso? —dijo—. Esas sí que las odio.

Theo y Dahlia fueron los elegidos para mantener a Madeleine tranquila mientras Lulu y Garrison iban a ver cómo lo llevaban Mrs. Wellington y Schmidty, que estaban preparando el equipaje con lo básico para el viaje a Boston. A Madeleine no le importaba adónde fueran; lo único que quería era salir de Summerstone. Y mucho más ahora que estaba convencida de que las arañas y los milpiés se estaban cruzando entre sí. La niña estaba absolutamente segura de que debía de haber huevos de arapiés y milrañas a punto de eclosionar en cualquier rincón.

Lulu y Garrison entraron corriendo al vestíbulo y sus miradas recorrieron enseguida las paredes en busca de arañas y milpiés. En una primera inspección, el interior de Summerstone parecía no esconder ninguna de esas bestiecillas de patas peludas ni a sus alargados amiguitos. No fue hasta que Lulu vio que a una de las fotografías de concurso de belleza se le movía un pendiente cuando comprendió la gravedad de la situación. Dos milpiés se habían escondido a la vista de todos con bastante astucia; cada uno de ellos se había aferrado al lóbulo de una oreja fotografiada de Mrs. Wellington. Que esos bichos supieran hacer algo así solo podía explicarse de una manera: los milpiés montenegrinos eran auténticos intelectuales del orden de los miriápodos.

—Hay un par de milpiés en las fotografías —dijo Lulu, acercándose a Garrison.

—Mira esas hortensias.

—Son más listos que nosotros, o al menos más listos que Theo —añadió Lulu en voz baja al ver a una araña marrón y malva saliendo de debajo de las flores.

—¡Concursantes! —gritó Mrs. Wellington mientras bajaba corriendo la escalinata, vestida con un sedoso tutú rosa—. No podemos perder ni un segundo si queremos llegar a tiempo.

Schmidty, con un bolso de viaje en la mano, llegó balanceándose tras su señora. Por raro que parezca, al anciano no se lo veía en modo alguno extrañado ni avergonzado por el conjunto del tutú.

—Detesto ponerme a criticar por motivos de edad —comentó Lulu sin quitarle ojo al ridículo atuendo de bailarina de Mrs. Wellington—, pero ¿no es usted muy, pero que muy, muy mayor para llevar eso? Venga, pierda ese segundo y dedíquelo a cambiarse de ropa. Cuanto antes.

—Ay, no seas neandertal de la moda, Lulu. Con este tutú me he llevado más títulos de los que soy capaz de contar. Vamos a ver, tenemos que darnos prisa. Y, Schmidty, que no se te olviden ni Macarrones ni la pistola.

—Espere un momento. ¿Qué es lo que estamos haciendo exactamente? Porque no creo que a Theo le vaya a parecer bien eso de la pistola. Y con sinceridad, a mí tampoco, la verdad —añadió Garrison—. A los surfistas nos va el pacifismo, ¿no se acuerda?

—Mr. Garrison, se trata de una pistola de bengalas para hacerle señales al sheriff y que se reúna con nosotros al pie de la montaña —dijo Schmidty mientras abría de par en par las pesadas puertas de entrada de Summerstone—. No tenemos tiempo para entretenernos. ¡Deprisa!

Mrs. Wellington, Schmidty, Macarrones, Lulu, Garrison, Madeleine, Theo y Dahlia echaron a correr hacia el Tranvía Vertical de Summerstone.

—Schmidty, ¿estamos seguros de que el TVS podrá soportar el peso de todos? —preguntó Theo—. Porque ahora vienen también Wellington, Dahlia y esa hurona. Y, si soy del todo sincero, puede que yo haya engordado uno o dos kilitos en estos últimos días.

—No pasa nada, Mr. Theo. Pero la verdad es que tenemos que darnos prisa.

—¿Está absolutamente seguro de que no hay ni una sola araña, ni un milpiés, ni ningún cruce entre ambos? ¿Lo ha comprobado a conciencia? Porque, si llegara a descubrir que tengo a algún otro bicho encima, la verdad es que no sé de lo que sería capaz —afirmó Madeleine con teatralidad.

Lulu le sonrió nerviosa antes de atusarse un poco los rizos rubio rojizos y comprobar que no tenía nada en los lóbulos de las orejas.

—Espero de verdad que alguien haya traído algo de picar —protestó Theo—. Suelo ponerme de bastante mal humor cuando viajo sin comida.

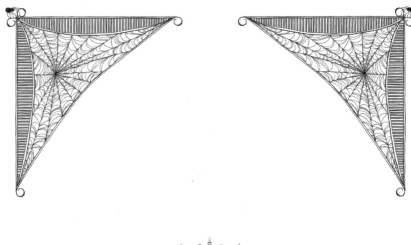

CAPÍTULO 13

TODO EL MUNDO TIENE MIEDO DE ALGO:
la amaxofobia es el miedo
de ir en coche.

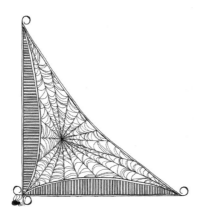

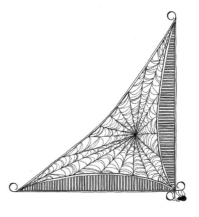

El sheriff, vestido con un uniforme caqui y un gran sombrero marrón, esperaba apoyado en una destartalada furgoneta blanca al pie de Summerstone. Hasta hacía poquísimo, esa furgoneta era la que subía y bajaba la montaña colgada de una desvencijada grúa de madera. Por suerte para todos los interesados, el TVS había ocupado su lugar. (Aunque ver petardear al tranvía mientras bajaba la montaña traqueteando no era la más tranquilizadora de las imágenes.)

A nadie le extrañó que Lulu se colocara la primera para salir de la cabina. Una vez fuera, la jovencita se encorvó de inmediato, intentando recuperar la compostura. El trayecto montaña abajo había resultado ser una tarea larga y dolorosa. Daba igual que solo hubiera durado cuatro minutos; a Lulu le parecieron varias horas. Mientras ella respiraba hondo, Theo realizó una serie de estiramientos que al sheriff le parecieron muy divertidos.

—La edad está empezando a hacer mella en mí —dijo el niño con un suspiro—. Estoy bastante seguro de que me ha dado un tirón bajando. Esas sacudidas contra la montaña son capaces de hacerle a uno mucho daño.

Sin saber muy bien qué decir a eso, el sheriff se limitó a inclinar un poco el sombrero para saludar al niño, que no dejaba de moverse de un lado para otro. Theo se quedó inmediatamente prendado de ese gesto y juró que se compraría también un sombrero de ala ancha para cuando empezara el nuevo curso. Se imaginó recorriendo los pasillos y patrullando en busca de gamberros, ataviado no solo con su banda, sino también con un sombrero; así, en esas ocasiones en que pasaba junto a un profesor que gozaba de gran consideración, lo saludaría inclinando el ala de su sombrero. Esa inclinación de sombrero parecía un saludo muchísimo más misterioso y elegante que el abrazo de cuerpo entero, su forma estándar de saludar a la gente.

Schmidty, Macarrones, Dahlia y Ensalada fueron los últimos en salir del TVS. Macarrones tiraba con fuerza de su correa en un intento de alejarse todo lo posible de Ensalada. El perro había empezado a sentir un miedo muy comprensible a los hurones después de que Ensalada le hubiera roído una uña de la pata antes de colarse en la boca de Theo. La verdad sea dicha, esa experiencia había resultado tan traumática que Macarrones veía incluso a las ardillas bajo una luz muy diferente.

—¡Dese prisa, sheriff! No tenemos tiempo para cháchara —insistió Mrs. Wellington mientras subía de un salto al asiento del acompañante de la furgoneta.

—Al menos podría haber preguntado. Puede que haya alguno entre nosotros que se maree en coche —masculló Theo casi sin voz mientras subía al asiento de atrás del vehículo—. Desde luego, hay alguna gente…

En cuanto el sheriff oyó cómo se abrochaba el último cinturón de seguridad, arrancó y se puso en marcha por la sombría carretera de adoquines. El variopinto surtido de pasajeros de la furgoneta guardaba un silencio muy peculiar. Puede que fuera a causa de la proximidad del bosque, o de la falta de luz provocada por la espesa vegetación de las enredaderas pegajosas, o incluso del aliento de Macarrones. Fuera cual fuese el motivo, el único sonido que se oía era el de los neumáticos recorriendo los adoquines.

La furgoneta dobló la última curva y entonces se vislumbró el final del bosque. La luz del sol relucía con intensidad en el exterior de los árboles y formaba algo parecido a un foco al final del túnel. Mientras la furgoneta seguía avanzando en dirección a la ciudad, Theo se aclaró la garganta de forma muy audible. Unos segundos después, todos los pasajeros excepto el sheriff lo estaban mirando con exasperación.

—Bueno, ya que ahora cuento con toda vuestra atención, he pensado que podríamos establecer unas cuantas reglas básicas —anunció el niño mientras intentaba sacarse la banda de vigilante, que llevaba puesta debajo de la sudadera.

—Deja de moverte, Theo —lo reprendió Garrison con brusquedad.

—Siento mucho que no podáis ver mi banda de vigilante de pasillos en este momento. Como seguramente sabéis, estoy muy a favor de las reglas. Las reglas ayudan a todo el mundo. La sociedad necesita reglas, y nosotros también. ¿Podríamos acordar que la regla número uno sea que nadie finja su muerte?

—¿Su muerte? —preguntó Dahlia, intrigada.

—Que la finja… que nadie finja su muerte —la corrigió Theo.

—Ensalada quiere saber quién va a fingir su muerte.

—El verano pasado, Mrs. Wellington fingió que había muerto, y yo quisiera asegurarme de que nadie más está pensando en fingir su propia muerte.

—O sea que, que si te mueres, ¿será de verdad? —concluyó Dahlia.

—Exactamente —se apresuró a responder Theo—. Espera, no pienso morirme.

Dahlia se inclinó entonces hacia su hurona y asintió unas cuantas veces.

—¿Piensa Ensalada acaso que voy a morirme?

Dahlia no hizo más que sonreír y encogerse de hombros.

—Oh, no, Ensalada no será vidente, ¿verdad?

—Theo, pero ¿qué pasa contigo? —espetó Lulu con impaciencia.

—Lulu, los animales pueden presentir estas cosas. ¿Tengo que recordarte la historia de aquella gata que vivía en una residencia de ancianos? Siempre acudía a la cama de los pacientes un par de horas antes de que fallecieran y se quedaba allí sentada a esperar su defunción. ¿Y si Ensalada fuera como esa gata?

—A ver, pensemos con un poco de raciocinio. ¿Qué probabilidades hay de que Ensalada sea una hurona vidente capaz de predecir tu muerte? —soltó Lulu con una sonrisa sarcástica—. Yo diría que más o menos una entre mil millones.

—Estoy empezando a marearme un poco —contestó Theo con teatralidad—. A lo mejor es un tumor cerebral.

—En serio, Theo, relájate un poco —terció Garrison antes de sacudir la cabeza mirando al dramático niño—. Tal vez deberíamos añadir también una regla contra los que se ponen melodramáticos…

—Es que acabo de acordarme de una cosa… horrible. Esa gata… se llamaba Vinagreta… como cuando le pones vinagreta a la Ensalada… ¿no veis la conexión? Dos alimentos que combinan muy bien juntos. Es una señal. Estoy acabado.

—Era un gato y se llamaba Oscar —dijo Lulu con voz de fastidio—. Como las salchichas de Oscar Mayer.

—Gracias al cielo que soy vegetariano. Así no encuentro ahí ningún simbolismo alimentario. ¡Buf, la verdad es que me ha ido de un pelo!

Aburrida con la caída en la locura protagonizada por Theo, Dahlia se volvió para mirar por la ventana. Los tejados de las tiendas de la calle Mayor, la cúpula de la estación de autobuses y los grupos de casas quedaban aún muy lejos. La furgoneta pasó a toda velocidad por delante de granjas y viejos graneros antes de entrar en la idílica calle Mayor de Farmington. Tal como podría esperarse de una postal o una película publicitaria, había familias paseando por la calle, comiendo cucuruchos de helado y riendo. A Dahlia le resultó una imagen tan insólita que incluso levantó a Ensalada para que pudiera mirar por la ventanilla. Desde luego, los hurones no son precisamente famosos por ver muy bien de lejos, así que Ensalada en realidad se lo perdió todo.

En cuanto el sheriff aparcó delante de la estación, le hizo una señal a Schmidty con la cabeza, se desabrochó el cinturón y bajó de la furgoneta de un salto. Mientras caminaba hacia la estación, se tomó la molestia de inclinar el sombrero para saludar a todas y cada una de las familias que pasaban. Theo, por supuestísimo, anotó mentalmente lo bien que era recibido el gesto del sombrero por los habitantes de la ciudad.

Mrs. Wellington se colocó de súbito en el lugar del conductor mientras Schmidty se plantaba visto y no visto en el asiento del acompañante.

—Espere un momentito —dijo Theo en voz bien alta—. ¿Usted es la que piensa conducir hasta Boston?

—Bueno, es evidente que no puedo dejar que conduzca Schmidty: no le cabría la barriga entre el asiento y el volante.

—Además de que oficialmente padece ceguera —añadió Lulu.

—Ay, dejad eso de una vez. Son todo imaginaciones suyas. Es que los hombres de su edad siempre quieren llamar la atención. A Schmidty no le pasa absolutamente nada, bueno, si no contamos su peinado estilo caracola, claro.

—¿Por qué no puede llevarnos el sheriff? —preguntó Garrison—. Él parece estar cuerdo.

—Está de servicio. Tal como voy a tener que conducir, no podemos llevar en el vehículo a un hombre que quiera respetar las leyes.

—Pues yo voy a tener un problema con cualquier actividad que transgreda la legalidad —protestó Theo—. Dicho de otra forma, que tendremos que respetar los límites de velocidad. Por lo que he aprendido en mi experiencia como vigilante de pasillos, sugiero que vayamos a una velocidad bastante inferior a los límites establecidos. Como digo yo siempre: «Para que el pasillo sea seguro, mejor caminar sin apuro».

—¿O sea que esos eslóganes tuyos con tanto gancho no se ocupan solo del medio ambiente? Menuda suerte hemos tenido… —dijo Lulu, poniendo sus ojos de exasperación.

En un insólito despliegue de comedimiento, Theo no hizo ningún caso del comentario de Lulu y siguió hablando con Mrs. Wellington:

—El simple hecho de que la señal diga cien kilómetros por hora no la obliga a ir a esos cien. Personalmente, creo que cuarenta kilómetros por hora en autopista es una velocidad óptima. Además, estaré más que encantado de hacer de copiloto para asegurarme de que no pasamos nada por alto.

—¿Cómo he podido acabar atrapada en un viaje en coche con Theo… otra vez? —se lamentó Lulu en voz alta.

—¿Será la suerte? ¿La amistad? ¿Puede que un poco de cada una? —propuso el niño como respuesta, con toda seriedad.

—Gordinflón, ni se te ocurra acercarte al asiento de delante —le espetó Mrs. Wellington con los labios de color rojo camión de bomberos—. No pienso tolerar ningún retraso en este viaje, ¿entendido? Estoy a punto de enfrentarme a una rival, y no es que me preocupe que pueda perder, porque, seamos sinceros, eso es imposible —siguió diciendo la anciana con rotunda convicción—. ¡Pero, si llegamos tarde al concurso de belleza, esa ciruela pasa le contará a todo el mundo lo de mi escuela!

—Está bien, Mrs. Wellington, aflojaré con eso del límite de velocidad, pero ¿qué me dice de las paradas técnicas para las necesidades fisiológicas? Yo había pensado en algo así como cada diez o quince minutos.

—Theo, es del todo imposible que necesites ir al baño cada diez o quince minutos y, si lo necesitas, te dejaremos en la consulta de un médico —comentó Lulu, huraña—. Un médico malo, a poder ser.

—No lo digo por mí, hablo en calidad de abogado de Macarrones.

—Déjame que adivine: la defensa legal de los animales es uno de tus deberes como vigilante de pasillos —repuso la niña con sarcasmo.

—A lo mejor sí —mintió Theo con un tono nada convincente.

—No puedo creer lo mucho que nos vamos a divertir en nuestra excursión —exclamó Dahlia—. Cómo me gustaría que tuviéramos una cámara para documentar los buenos momentos…

Cuando Lulu se disponía a contestarle algo a la niña, Mrs. Wellington aceleró el motor. Sin mirar los espejos ni comprobar si tenía a alguien detrás, pisó a fondo el pedal del acelerador y enfiló la calle a toda velocidad marcha atrás mientras el interior de la furgoneta quedaba impregnado de olor a goma quemada.

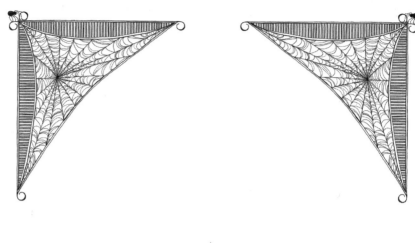

CAPÍTULO 14

TODO EL MUNDO TIENE MIEDO DE ALGO:
la neofobia es el miedo
de todo lo nuevo.

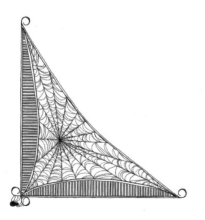

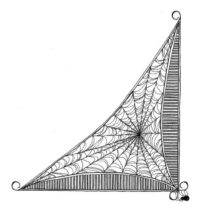

—¿Comprobación horaria? —le ladró Mrs. Wellington a Schmidty mientras cruzaba dos carriles de tráfico sin mirar siquiera.

—¿Sabéis cuando tienes una pesadilla y te das cuenta de que no es más que un sueño y de repente sientes un alivio enorme? —gimoteó Theo—. Pues eso es lo que quisiera que ojalá, ojalá, me pasara ahora mismo.

—He dicho comprobación horaria, Schmidty —rugió Mrs. Wellington mientras avanzaba a toda mecha por la Autopista 90 sin siquiera prestar la menor atención a si seguía o no en su carril.

—Aún nos queda una hora, así que, señora, ¿podría pedirle que se abstuviera de conducir marcha atrás por la carretera? —dijo Schmidty, aferrado al salpicadero con tanta fuerza que tenía los nudillos blancos—. Y, por favor, intente no salirse de las rayas o, por lo menos, no alejarse mucho de ellas.

—¿Es así como se conduce por la autopista en Estados Unidos? —se lamentó Madeleine—. No me extraña que la gente se queje de los turistas norteamericanos.

Mrs. Wellington zigzagueó entre dos camiones enormes antes de pisar el freno, volver a acelerar y luego pisar el freno otra vez.

—Ensalada se está mareando un poco con todas estas maniobras —anunció Dahlia.

—Ensalada tiene suerte de que sigamos con vida —dijo Theo antes de enjugarse la frente sudorosa y romper a llorar—. ¡No quiero morir con el estómago vacío!

—Theo —intervino Garrison, inclinándose hacia delante para agarrarlo de los hombros—, tienes que calmarte un poco. Llevas el cinturón abrochado y la furgoneta tiene airbags. Sobrevivirás, sin ninguna duda.

—Hum, me parece que hablo en nombre de todos cuando digo que querríamos algo más que sobrevivir. Querríamos evitar cualquier accidente. ¿Me está oyendo, anciana del tutú? —gritó Lulu mientras se tapaba el ojo izquierdo, que ya había empezado a palpitarle.

—¿Vendría muy mal parar en una ferretería de camino al concurso de belleza? —preguntó Madeleine—. Me encantaría comprarme una buena mosquitera y unos cuantos sprays insecticidas.

—Ahora no es el momento precisamente —le contestó Theo con inmensa satisfacción.

—Oiga, Mrs. Wellington… —dijo Garrison con voz ronca al ver que la directora se aplicaba pintalabios mirándose en el espejo retrovisor—. Me parece que se le ha olvidado a usted una cosa.

—¿El qué, Musculitos?

—¡Pues que está conduciendo!

—Ah, sí, es verdad —dijo la mujer, agarrando el volante y girándolo bruscamente en la dirección contraria.

La furgoneta empezó a zigzaguear por varios carriles llenos de tráfico, de modo que desencadenó una tempestad de bocinazos y nubes de goma quemada. Los coches frenaban con un chirrido al ver la furgoneta acercarse como una bala por la autopista, peligrosamente a punto de provocar un choque en cadena.

—¡¡¡Aaaaaahhh!!! —gritó Theo antes de taparse los ojos con las manos.

—¡Qué amables, ¿no os parece?! ¡Todos esos conductores apartándose para dejarme pasar! ¡Anda, y por ahí viene un desfile!

—Señora, me parece que es un coche de policía —informó Schmidty.

—Ay, no seas tonto, pero si se oye música.

—Es la sirena.

—¿La qué?

—Pare a un lado, señora.

—No tenemos tiempo, llevamos muchísima prisa. Ya sabes que no se puede llegar tarde a un concurso de belleza, sobre todo cuando te están haciendo chantaje.

—Sí, pero me temo que tenemos que encontrarle un hueco a la policía, o puede que nos detengan.

—¿Detenernos? De ninguna manera. ¡Me niego a que me hagan una foto para los archivos policiales con la peluca en semejantes condiciones!

—Señora —insistió Schmidty con firmeza—, tiene que parar ya.

Mrs. Wellington soltó un enorme suspiro antes de ensañarse con el freno.

—¡Señora! ¡No! Tiene que retirarse al arcén de la autopista.

—Qué cantidad de reglas, la verdad… Me duele la cabeza solo de pensar en toda esa información inútil. En realidad, lo único que hace falta saber es cómo girar la llave, y el coche solo hace el resto.

—Ay, señora —dijo Schmidty, sacudiendo la cabeza—, en su vida hay tantas cosas que son sencillamente… erróneas.

—Ahora no tenemos tiempo para cumplidos. Ocúpate de ese hombre y sigamos a lo nuestro —replicó Mrs. Wellington cuando un policía de carreteras dio unos golpecitos en su ventanilla.

—¡Es cristal! —gritó la mujer—. No puede atravesarlo con la mano.

—Señora, tendría que bajar usted la ventanilla y entregarme su documentación y los papeles del coche.

—Desde luego —dijo Mrs. Wellington, volviéndose hacia Schmidty—. El bolso de viaje, por favor.

La anciana rebuscó entre montones de papeles y baratijas antes de sacar un enorme documento rosa muy desgastado.

—Aquí tiene mi permiso, agente.

—Señora, esto es un permiso de cosmetología.

—Eso es del todo correcto, aunque debo admitir que hace años que no hago una limpieza de cutis, así que, si nos disculpa, la verdad es que tendríamos que irnos ya.

El agente se echó hacia atrás y miró con recelo al interior de la furgoneta.

—Señora, ¿de quién son estos niños?

—Ay, ¿quién sabe? Apenas si soy capaz de recordar mi nombre, ¿cómo voy a acordarme del de sus padres? Bueno, agente, si me disculpa, tengo muchísima prisa por llegar a Boston para participar en una competición de belleza, así que estoy segura de que comprenderá que dejemos esta conversación para otro momento, quizá en algún lugar algo más civilizado, como mi mansión, por ejemplo.

—Señora, voy a tener que detenerla.

—¿Detenerme? ¿Es que quiere que me quede aquí para formar parte de una patrulla de carreteras o algo así? No funcionaría; nunca me ha sentado bien el caqui. Quizá pueda llamarme usted cuando les hagan uniformes de color rosa o lavanda.

—Señora, que la estoy arrestando.

—¡No sea ridículo! Llame al gobernador, él me conoce bien.

—Sí, claro —dijo el agente en tono sarcástico—, y después llamaré al presidente.

—Ay, no, por favor, eso no lo haga. Su mujer se pone muy celosa.

—Señora, voy a arrestarla.

—Bueno, pues muy bien. Llame al presidente. Ya ve cómo tiemblo.

—Necesito que todo el mundo baje de la furgoneta.

El trayecto hasta la comisaría fue bastante aburrido, salvo por el detalle, claro está, de que Mrs. Wellington no dejaba de insistir en llamar al gobernador. Cuando por fin llegaron, la anciana y Schmidty fueron conducidos a una pequeña celda de detención, mientras que a los niños se los llevaron a una sala para interrogarlos.

Theo, Lulu, Garrison, Madeleine y Dahlia acabaron sentados a una mesa redonda nada cómoda que había ante un enorme espejo falso.

—Theo, Ensalada no quiere que en el brindis de la boda digas nada de que nos han detenido. A mí no me importa, desde luego, pero ya conoces a Ensalada... es muy conservadora —balbució Dahlia con nerviosismo—. Aunque, si alguna vez tuvieran que detenerme, ¡querría que fuera junto a mis mejores amigos! ¡Ay, Dios mío, somos los mejores amigos del mundo entre barrotes!

Sin hacer ningún caso de los comentarios de Dahlia, Theo empezó a caminar arriba y abajo por la pequeña sala.

—Lo único que puedo decir es que gracias a los cielos que vi aquel maratón de capítulos de *Ley y orden*, o ahora mismo me estaría dando un ataque.

—Hemos estado a punto de chocar unas cien veces en la autopista, nos han traído a una comisaría donde esperamos a que nos interroguen, y llegamos tarde a un concurso de belleza donde puede que una de las rivales de Mrs. Wellington desvele el secreto de la escuela. ¿Cómo me está pasando esto a mí? —preguntó Garrison, alzando las manos en alto.

—Me da la sensación de que podría tardarse más tiempo del que disponemos en responder a esa pregunta. ¿Te importa que lo dejemos para otro momento? —preguntó Theo con seriedad.

Mientras Garrison sacudía la cabeza mirando al niño, una agente de policía altísima y muy intimidante entró en la sala con una bandeja de golosinas y una sonrisa de oreja a oreja.

—Hola, niños. ¿Qué tal os está yendo el día? —preguntó mientras se acercaba una silla—. Soy la agente Patty y voy a haceros unas cuantas preguntas. Pero, antes, ¿a alguien le apetece un dulce?

—¡A mí! —saltó Theo enseguida.

—¿No te ha enseñado tu madre a no aceptar caramelos de desconocidos? —preguntó Lulu con severidad.

—¿Es que no estabas escuchando? Se llama «agente Patty», así que no puede ser una desconocida.

—Un desconocido es alguien a quien no conoces, y nosotros no conocemos a la agente Patty, así que deja esa chocolatina.

La cara de Theo se contrajo de tristeza y agonía mientras dejaba la chocolatina en la bandeja. Después de todas las peripecias y las experiencias cercanas a la muerte vividas en la carretera, no le habría venido nada mal un subidón de azúcar.

—Soy agente de policía. Podéis confiar en mí —dijo la agente Patty, sonriéndole a Theo—. Bueno, ¿quién quiere contarme lo que ha pasado?

—Hola, agente Patty —empezó a decir el niño—. Me llamo… Th… Hank, sí. Me llamo Thank, como «gracias» en inglés. Es porque mis padres valoran mucho los buenos modales. Le agradecería sobremanera que pudiéramos saltarnos todo eso de las huellas dactilares y la foto para los archivos policiales… Me interesa mucho que esto no conste en mi expediente académico, si es posible… Podría ponerme muy complicada la reelección…

—Thank —intervino Lulu—, no te está deteniendo, así que puedes tranquilizarte. Tu estatus como vigilante de pasillos está a salvo.

—Es verdad, agente Patty, yo soy uno de los suyos, de los que llevan insignia… bueno, en realidad en mi caso es más bien una banda, pero…

—¿Thank? A lo mejor podrías dejar de hablar un segundo —lo interrumpió Lulu—. Agente Patty, tienen que dejarnos marchar, y también a Mrs. Wellington.

—Hablando de Mrs. Wellington —dijo la agente mientras sacaba un cuaderno—. ¿Quién es, exactamente?

—Es nuestra…

—¡No lo digas! —se adelantó Madeleine.

—Es nuestra consejera en el campamento de verano —terminó de decir Lulu.

—¡Sí, es nuestra consejera en el campamento! —la secundó Madeleine con entusiasmo.

—¿Y cómo se llama ese campamento? —preguntó la agente Patty con ciertas dudas.

—Campamento Theo —dijo Theo con una sonrisa enorme.

—¿Campamento Theo? Nunca había oído hablar de él.

—Oh, sí, se trata de un complejo muy pequeñito, situado en medio del bosque, donde todo el mundo se saluda con un abrazo y la cocina nunca cierra —explicó el niño con expresión soñadora—, y siempre te dejan una chocolatina en el almohadón.

—¡Eso suena divertidíííííísimo! —añadió Dahlia.

No muy lejos de allí, Mrs. Wellington y Schmidty estaban sentados en una celda pequeña y lúgubre. La mujer se tapaba la nariz mientras el conserje intentaba airearle la zona de delante de la cara. Dos agentes aguardaban sentados al otro lado de los barrotes, mirando a la extraña pareja casi como si estuvieran viendo a los animales del zoo.

—Discúlpenme, jóvenes, pero tengo que salir de aquí. Hoy va a suceder algo extremadamente importante y no tengo tiempo para que me detengan. ¿No podríamos posponer todo

152

esto para otro día? Podría incluso traer unos sándwiches y unos bollitos para merendar.

—Señora, está usted hecha una buena pieza —dijo uno de los agentes, sacudiendo la cabeza sin poder creérselo. En todos sus años de servicio, jamás se había encontrado con una anciana vestida con tutú, y menos aún acompañada por un hombre que llevaba el peinado estilo caracola más elaborado de toda Nueva Inglaterra.

—Está bien, traeré rosquillas si lo prefieren —contestó Mrs. Wellington de mal humor—. Bueno, ¿podemos posponer este absurdo encarcelamiento o no?

—Si me permite que le interrumpa, agente, ¿no tenemos derecho a hacer una llamada telefónica? —preguntó Schmidty con calma.

—Sí, la ley dice que pueden hacer una llamada —respondió el hombre, acercando el teléfono a los barrotes—. Será mejor que encuentren a quien sea en casa, porque hoy no estoy demasiado generoso.

—Gracias a los cielos que has visto películas suficientes para conocer nuestros derechos —le dijo Mrs. Wellington a Schmidty mientras marcaba un número.

La mujer se quitó uno de los pendientes de clip de imitación de diamante rosa y se acercó el viejo auricular negro a la oreja. Con el corazón encogido, consultó el reloj y vio que se le acababa el tiempo. La presión sanguínea de la anciana se disparó, cerró los ojos y pronunció una oración silenciosa para que aquella situación tuviera remedio.

—¿Me oyes? ¿Munchauser? —escupió Mrs. Wellington al teléfono—. Me han arrestado y llego tarde a un concurso de belleza para encontrarme con el ladrón… Ah, pues es una larga historia… Llama al gobernador y recuérdale dónde estaría sin mí… No, ese fue el presidente… El gobernador tenía miedo de que lo abdujeran los extraterrestres… ¿Quién es Delicia del Amanecer? ¿Estás en las carreras?… Tienes cinco minutos para arreglar todo esto o estás despedido… Ah, y apuesto veinte dólares por Delicia del Amanecer.

Exactamente cinco minutos y veintiocho segundos después sonó el teléfono. El primer agente se rascó la cabeza mientras escuchaba. Después le pasó el auricular al otro agente, que escuchó y asintió antes de pasarle el auricular a otro agente más. Ese tercer y último agente masculló algo al teléfono antes de colgar de un golpetazo.

El clonc que produjo el auricular sobre el receptor de plástico hizo que Mrs. Wellington se viniera abajo… literalmente. En realidad, las rodillas de la anciana cedieron a causa del sobresalto y la hicieron desplomarse sobre el sucio suelo de cemento.

—Estamos acabados —murmuró mientras agachaba la cabeza—. Jamás llegaremos a tiempo al concurso.

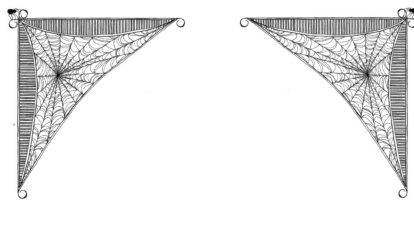

CAPÍTULO 15

TODO EL MUNDO TIENE MIEDO DE ALGO:
la cronofobia es el miedo
de los relojes o del tiempo.

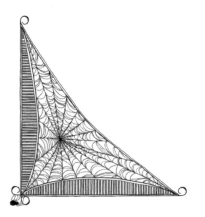

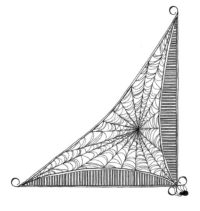

El ambiente de la sala de detención ya estaba cargado y viciado. Hacía un rato que la agente Patty había terminado con su interrogatorio. Dahlia se había quedado dormida con Ensalada cuidadosamente escondida dentro de su camisa. Junto a ella, Lulu jugueteaba con su pelo y le iba lanzando alguna que otra mirada asesina a la agente de policía. Aunque al principio le molestaban las duras miradas de la niña, la mujer no tardó en encontrar consuelo en una empalagosa chocolatina.

A Theo, observar a la agente Patty saborear con tranquilidad aquella golosina le resultaba casi imposible de soportar. Para el jovencito era una verdadera tortura debatirse entre rendirse o no a su intenso antojo de azúcar. Tenía a pocos centímetros de distancia una bandeja entera de golosinas y chocolatinas que lo provocaba sin compasión. A él nunca se le había dado demasiado bien el autocontrol cuando había dulces a la vista, lo cual hacía que aquella situación fuese todavía más dolorosa. Cómo le hubiera gustado que Lulu y los demás miraran para otro lado durante diez o quizá veinte segundos. No necesitaba más tiempo que ese para tragarse una chocolatina entera. Theo estaba más que dispuesto a sacrificar la masticación.

Mientras la mano del niño se acercaba lentamente a la bandeja de exquisiteces, Lulu se inclinó hacia él. Lanzándole una mirada severa, sacudió la cabeza con mucha elocuencia. Estaba claro lo que quería decir: aceptar esos dulces era prácticamente una traición. Theo pensó que Lulu se estaba tomando demasiado en serio eso de la lealtad, pero ¿qué otra opción tenía?

El impulso goloso del niño seguía arreciando mientras Garrison no hacía más que caminar de aquí para allá frente al falso espejo. No podía saber si había alguien al otro lado, pero la sola posibilidad ya le ponía los pelos de punta. Mientras se pasaba los dedos por sus alborotados rizos rubios, pensó que no estaban en uno de esos *reality shows* donde los niños desfilan exhibiendo sus miedos ante las cámaras.

Por una vez, Madeleine no sentía ni una pizca de interés por Garrison. Toda su atención estaba centrada en el reloj resquebrajado que había en la pared. La velocidad a la que se movía el segundero la tenía absolutamente atónita. Los segundos nunca le habían parecido tan cortos. ¿De verdad pasaba el tiempo siempre tan deprisa? Sacando el Theo que llevaba dentro, Madeleine bajó la mirada hacia sus manos, casi esperando ver arrugas y manchas de la edad. Ay, madre mía, pensó la niña, la cárcel estaba empezando a afectarla.

Justo en el momento en que Madeleine se disponía a pedir un vaso de agua y a lo mejor también un médico, la pesada puerta de metal se abrió con un chirrido. La suave corriente de aire fresco fue muy bien recibida por todos los ocupantes de la sala. Un agente mayor y de pelo cano, con una barriga que era casi igual de grande que la de Schmidty, entró balanceándose despacio.

—Patty, ya puedes irte. Vamos a dejar que los niños se marchen con esos dos viejos.

—Personas mayores —lo corrigió Mrs. Wellington desde el pasillo—. Que tengamos más edad que estos memos prepúberes no quiere decir que seamos viejos. ¡Por lo que más quiera!, pero si apenas somos de mediana edad… Bueno, al menos yo…

—¡Esa boca, la del tutú! —espetó en respuesta el agente de pelo cano antes de volverse otra vez hacia la agente Patty—. Bueno, como iba diciendo, vamos a dejar que esta señora loca se lleve a los niños.

—Como usted diga —dijo la agente Patty con la boca llena de chocolate.

—En realidad, Patty, lo ha dicho el gobernador —explicó el agente de pelo cano antes de marcharse.

Madeleine, Lulu, Theo y Garrison intercambiaron una mirada al oír mencionar al gobernador. Puede que Mrs. Wellington tuviera mejores contactos de lo que ellos pensaban. Theo se sintió aliviado y a la vez asustado al enterarse de esa información. Aunque estaba muy bien que Mrs. Wellington conociera a un hombre tan poderoso, eso también le hacía ver lo poco que sabía acerca de esa profesora suya a la que le gustaba ponerse tutú.

—Supongo que deberíamos despertar a Dahlia antes de marcharnos —comentó Madeleine sin demasiada convicción.

—Sí, supongo que sí —convino Lulu a regañadientes, y le dio unos golpecitos a la niña en la cabeza.

—¡No os vayáis sin mí! —chilló Dahlia, antes aun de haber abierto los ojos, a todas luces asustada de que pudieran dejarla atrás.

—Sinceramente, Lulu, ¿no se te ha ocurrido otra forma de despertarla? —preguntó Theo con desdén—. ¿Dándole un capón en la cabeza?

—No ha sido más que un pequeño coscorrón. Además, si tan importante era para ti despertarla con una serenata o con un puñado de pétalos de rosa, podrías haberte adelantado.

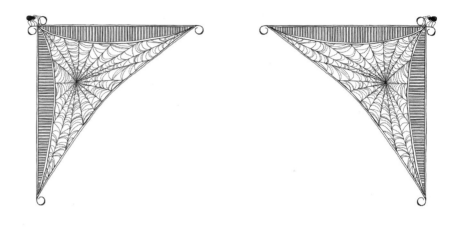

CAPÍTULO 16

TODO EL MUNDO TIENE MIEDO DE ALGO:
la atazagorafobia es el miedo
de olvidar o de ser olvidado.

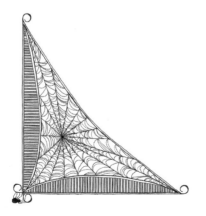

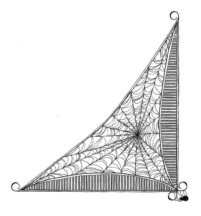

Al regresar a la furgoneta, el grupo hizo un descubrimiento de lo más angustioso. Con las prisas de su detención, no solo se habían dejado las ventanillas abiertas, sino que todos ellos se habían olvidado de Macarrones. Por suerte, a los bulldogs ingleses dormir les gusta casi tanto como comer, y eso era precisamente a lo que se había dedicado Macarrones para pasar el tiempo.

En cuanto todos tuvieron los cinturones de seguridad bien abrochados, Mrs. Wellington recolocó los espejos para poder mirarse en ellos en cualquier momento. Tras una rápida aplicación de pintalabios, giró la llave y se puso a acelerar el motor. Esa acción hizo que el radar de seguridad de Theo se disparara, lo cual provocó que el niño se aclarara la garganta de forma audible:

—Me parece que todos hemos aprendido una lección muy importante hoy acerca de los peligros de la velocidad, la conducción temeraria y el encarcelamiento.

Con gran determinación en la mirada, Mrs. Wellington pisó el pedal del acelerador hasta el fondo y se incorporó al tráfico como un torbellino.

—¿Es que no ha aprendido usted nada, mujer? ¿La cárcel no le ha parecido más que una broma pesada o qué? —bramó Theo mientras los demás conductores les pitaban y les dedicaban gestos procaces con la mano.

—¿Alguien ve algún parque? ¿Árboles? ¿Vegetación? ¿Mesas de picnic? ¿Quizá unos columpios o un cajón de arena? —preguntó Mrs. Wellington, parloteando como una posesa mientras conducía por la autopista sin orden ni concierto.

—Señora, no es que desee incrementar su ansiedad ni la velocidad de este vehículo, pero solo nos quedan quince minutos hasta que empiece el concurso. A lo mejor ha llegado el momento de elaborar un plan B —dijo Schmidty mientras cerraba los ojos, pues no quería ni ver cómo entraba Mrs. Wellington en el límite municipal de Boston.

—Mi ética me obliga a oponerme a cualquier plan B, y lo sabes, querido viejo. Son los delincuentes del mundo de los planes, y no pienso tener absolutamente nada que ver con ellos.

—Una razón más para llevar el móvil siempre encima. Nunca sabes cuándo tu chalada profesora vestida con tutú va a perderse de camino a un concurso de belleza para encontrarse con alguien que la chantajea —le explicó Theo a Dahlia con toda seriedad.

Después de asentir varias veces, la niña le dedicó una dulce sonrisa.

—Thee Thee, Ensalada cree que a lo mejor se te ha olvidado lavarte los dientes esta mañana. Yo no me había dado cuenta de que te oliera el aliento, pero me lo ha dicho ella. Y hay que hacerle caso, porque los hurones son famosos por tener un sentido del olfato muy desarrollado.

—Bueno —dijo Theo con bochorno mientras se tapaba la boca, intentando olerse su propio aliento—, en primer lugar, los hurones no son famosos por nada. Son los miembros menos distinguidos del reino animal. Y en segundo lugar, no es que Ensalada huela muy bien, precisamente. No se ducha, no usa papel higiénico y ni siquiera tiene cepillo de dientes. Además, la he visto hacerse pipí en su propio pie más de una vez.

—¿Eso de ahí delante es el parque?

—No, señora —contestó Schmidty—. Eso es un solo árbol. Me parece que se necesita más de un árbol para calificar algo de parque.

—¿Por qué hay tantos edificios y tantos coches por todas partes? Es como si me estuvieran ocultando ese parque a propósito. ¡Todo este montaje apesta a envidia de mi corona!

Theo observó a Mrs. Wellington, que miraba en todas direcciones menos hacia la calzada que tenía delante. Después de respirar hondo, el niño levantó la mano y se aclaró la garganta por enésima vez ese día:

—No quisiera interrumpir, Mrs. Wellington. En realidad, pensándolo mejor, sí que quiero interrumpir, interrumpirla de NO mirar a la carretera —dijo Theo con gravedad—. Estoy bastante seguro de que la regla dice que hay que mirar cada seis segundos, y yo acabo de cronometrar siete. En siete segundos podrían pasar muchísimas cosas. Dudo mucho que se dé usted cuenta de lo largos que son esos siete segundos.

Permítame que se lo demuestre: uno, dos, tres, cuatro, cinco, seis, siete… Hummm, no me ha parecido tanto tiempo. A lo mejor los he contado demasiado deprisa. Uno Misisipí, dos Misisipí…

—¡Ya vale, Gordinflón! No tenemos tiempo para lecciones de seguridad.

—Discúlpeme, señora, pero estoy bastante seguro de que ese cartel dice «Parque Franklin». ¿O es «Parquet Francés»? —interpuso Schmidty, entornando mucho los ojos—. Vamos, que o bien es el parque, o bien una tienda de entarimados.

El parque Franklin, al que le habían puesto su nombre por uno de los padres fundadores de Estados Unidos, Benjamin Franklin, era una extraña elección como emplazamiento para un concurso de belleza. No solo porque, con sus doscientas trece hectáreas, era el mayor parque de todo Boston, y por lo tanto resultaba bastante difícil recorrer toda su extensión, sino también porque estaba al aire libre. Los concursos de belleza suelen celebrarse en el interior de un edificio, donde hay electricidad para los secadores y los rizadores de pelo, así como para un sinfín de aparatos más. Mientras Mrs. Wellington aparcaba la furgoneta en un sitio prohibido, no pudo evitar preguntarse qué reina de la belleza que se preciara organizaría un evento de tales características en un parque. ¡Era una verdadera blasfemia!

Sin un segundo que perder, la anciana entró a la carga en el parque y, con un andar altanero, dejó atrás el estanque, cruzó el campo de golf y por último se metió en un pasaje abovedado. Cuando salió por el otro lado, percibió un tufillo a laca para el pelo y cola cosmética para pestañas postizas y, casi como si fuera un basset siguiendo el rastro de un conejo, apuntó con la nariz al suelo mientras iba inspirando larga e irregularmente, clasificando la gran variedad de olores que percibía antes de continuar avanzando. En circunstancias normales, una conducta de esas características habría provocado algún tipo de reacción por parte del grupo, pero no ese día.

Los acompañantes de Mrs. Wellington ya hacía rato que habían dejado de hablar. La caminata por el parque los había agotado, además de infundirles serias dudas respecto a toda la misión. A Theo le preocupaba que se tratara de un enrevesado montaje para que el ladrón pudiera entretenerlos y robarles las carteras en mitad del parque. Schmidty estaba inquieto por si en realidad se trataba de una estratagema para hacerlos salir de Summerstone y que la mansión al completo fuera saqueada en busca de objetos valiosos o, aún peor, que le sacaran fotografías para publicarlas en la prensa. Solo con pensarlo se ponía enfermo.

En cuanto a Madeleine, sencillamente, no le quedaba espacio mental para preocuparse por los demás cuando se encontraba en mitad de un parque y en pleno verano. Aquella era la temporada de las arañas, y ella no pensaba permitir que ningún otro bicho se paseara sobre su piel de marfil. Igual que se esperaría de quien sufre un trastorno de estrés postraumático, Madeleine estaba experimentando unos espantosos flashbacks. Por lo menos dos veces cada hora se quedaba con la mente en blanco unos momentos antes de verse asaltada por el recuerdo de la araña que colgaba de un hilo por encima de su cara y que luego quedaba brutalmente aplastada en su frente. Al recordar ese incidente, sentía un terremoto de emociones que le provocaba unas arcadas que la dejaban muda. La jovencita no era capaz de decir una palabra mientras repasaba los tortuosos recuerdos de la invasión arácnida. Con la cabeza ocupada en todo eso, Madeleine hacía lo posible por no separarse del grupo, pero no le resultaba fácil. Y es que, por si eso fuera poco, insistía en hacer aspavientos con los brazos para mantener a raya a todos los bichejos diminutos.

En cuanto a Theo y a Garrison, los dos estaban concentrados en conseguir que Dahlia les soltara la mano, porque la niña, sorprendentemente, había conseguido aferrarse a los dos chicos a la vez. Esa era su forma preferida de pasear: dejándose llevar literalmente por la gente. Garrison y Theo no compartían su entusiasmo por caminar de la manita y no podían pensar en nada más que en lo sudorosas y asquerosas que sentían las manos. Por delante de los chicos, Lulu seguía de cerca los pasos de Mrs. Wellington, ansiosa por enfrentarse de una vez por todas a ese ladrón que tanto estrés le había provocado a todo el mundo.

Por su parte, Macarrones se había quedado prendado del exuberante entorno del parque, con sus montones de piedras cubiertas de musgo, sus sendas sinuosas y su sinfín de árboles. Había pasado bastante tiempo desde la última vez que el regordete bulldog se había aventurado a salir de su territorio, y estaba completamente encantado. Más que los nuevos paisajes y los nuevos sonidos, eran los nuevos olores lo que lo tenía embelesado. Aparte de comer y dormir, oler era una de las actividades de ocio preferidas de Macarrones.

—¡Tiene que ser allí! —gritó Mrs. Wellington, señalando una tienda a rayas rojas y blancas que había junto a una pequeña arboleda.

—Señora, me parece que eso es una carpa de circo —dijo Schmidty.

La carpa tenía una altura de por lo menos dos pisos y contaba con varias puntas que sobresalían. Era imposible verla en toda su profundidad, pero estaba claro que no tenía un tamaño modesto.

—Esto tiene mucho sentido. Era imposible que hubieran organizado un concurso de belleza al aire libre. Todo el mundo sabe que el maquillaje de competición no está pensado para ser visto bajo la luz natural.

—Sin duda, en eso estamos de acuerdo —coincidió Schmidty con ella—. Y, ahora que lo menciona, ¿querría que la retocara un poco antes de entrar en la carpa, señora?

—Mi querido Schmidty, por supuesto que querría una reaplicación completa de todo el maquillaje. Esta será la gran reaparición que había estado esperando. Puede que, al final, ese ladrón resulte ser lo mejor que me ha sucedido nunca.

—No adelantemos acontecimientos, señora. Ha llovido bastante desde la última vez que participó en un concurso de verdad. Los que celebramos en el salón de baile con usted y los gatos no cuentan.

—¡Ay, no seas tontainas! Soy una ganadora nata. Los focos siempre me han adorado.

Y, dicho eso, los alumnos se quedaron plantados observando cómo un anciano casi ciego volvía a aplicarle a Mrs. Wellington gruesas capas de una sombra de ojos de color rosa que combinaba a la perfección con su vaporoso tutú. A pesar de andar claramente flojo en cuestión de vista, Schmidty era increíblemente rápido y eficaz. ¡Si fue capaz de reaplicarle todo el maquillaje en menos de cinco minutos, caray! Desde luego, la velocidad y la precisión han tenido siempre muy poco en común.

Mientras Mrs. Wellington y compañía se acercaban a la carpa, los asaltaron una multitud de ruidos y aromas descabellados. El aire no solo les traía los obligados olores a cola de pestañas y laca para el pelo, también se percibía un aroma a eucalipto bastante acre. En cuanto a los sonidos, se oían timbres y silbatos. Era más o menos lo que uno esperaría encontrar en un circo de verdad.

Theo respiró hondo varias veces antes de sacudir la cabeza con decepción.

—Yo esperaba más bien perfumes y polvos de talco, no… ¿qué es eso?

—El olor de la crema para dentaduras postizas y audífonos —comentó Lulu con sequedad—. Puede que no sea capaz de volver a mirar a mi abuela con los mismos ojos.

—Es muy probable —convino Madeleine, que no dejaba de mover los brazos sin ton ni son—. No quisiera resultar impaciente, Mrs. Wellington, pues ya sé que no ha participado usted en un concurso de belleza desde hace siglos, pero estoy más que dispuesta a dejar atrás el campo abierto y alejarme de todos esos bichejos diminutos. Estoy bastante segura de oír alas de insectos batiendo y patitas de arañas repiqueteando en este mismo instante…

La anciana no le hizo ningún caso, porque, una vez más, se estaba alisando los pliegues de su tutú y se recolocaba la peluca.

—Concursantes, antes de entrar, como profesora vuestra, debo prepararos para la amplia gama de emociones con las que os encontraréis. Puede que algunos sintáis celos o envidia al verme en todo mi esplendor, con el público vitoreándome a gritos y puede que incluso entonando mi nombre. Por fa-

170

vor, tomad anotaciones mentales de esta experiencia, ya que me encantaría que me lo explicarais todo durante el trayecto de vuelta a casa, así como todos los días del resto de mi vida. Puede que algunos os quedéis absolutamente conmocionados, anonadados por la visión de tantísimas mujeres esplendorosas reunidas en un mismo lugar. Sin embargo, no es necesario que toméis notas mentales de la belleza de ninguna más que de mí. —Mrs. Wellington sonrió de oreja a oreja mientras apartaba la portezuela de tela por la que se entraba a la carpa.

El grupo fue recibido por una flaca mujer con unos brazos largos como espaguetis. Se sorprendieron bastante al ver que iba ataviada con una chistera roja, un grueso velo negro, un vestido con corsé y un cinturón de campanillas. Estaba claro que no se trataba del tradicional vestido rosa con brillantes falsos que todos ellos esperaban de una participante de un concurso de belleza.

—Bienvenidos. Yo soy Finca, la maestra de ceremonias —dijo la mujer de la chistera con una voz áspera—. ¿Es vuestra primera vez?

—Ni siquiera pienso dignarme contestar a eso.

—Muy bien —dijo Finca caminando ya con un tintineo de campanillas hacia la siguiente portezuela de lona.

Apartó el grueso tejido impermeable de rayas rojas y blancas y le hizo un gesto al grupo para que entrara. Mrs. Wellington se llevó la mano derecha a la cadera y condujo a Schmidty, Macarrones y los niños al interior de la carpa.

Nada más entrar se detuvieron, boquiabiertos. Aquello no era lo que esperaban.

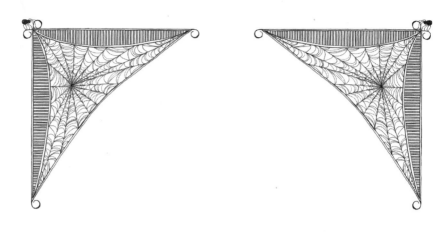

CAPÍTULO 17

TODO EL MUNDO TIENE MIEDO DE ALGO:
la wiccafobia es el miedo
a las brujas o a la brujería.

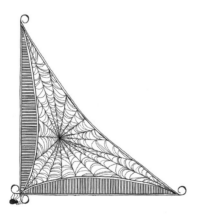

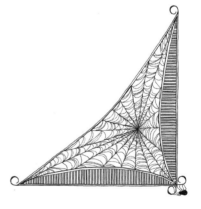

La carpa bullía de actividad. Personas y animales se empujaban de un lado a otro mientras los alumnos seguían paralizados por la conmoción. El sonido de campanillas, silbatos y ladridos inundaba aquel espacio tan absolutamente abarrotado. Sin embargo, lo más excepcional de aquella escena era que las personas iban disfrazadas de perros y los perros de personas. Hombres y mujeres adultos se paseaban por ahí con la cara pintada, orejas peludas y hocicos de plástico, mientras que sus perros llevaban pintalabios, pelucas y toda clase de vestidos.

—¡Es un concurso de belleza para perros! —exclamó Mrs. Wellington mientras señalaba un cartel centelleante en el que decía: ¡CONCURSO COSMÉTICO CANINO!

—Señora, se la ve un pelín alterada. ¿Va todo bien?

—¡Pero si ya hemos llegado, querido viejo! Este es mi sitio. ¡Esta es mi gente! —dijo Mrs. Wellington mientras paseaba la mirada a su alrededor.

Inundada de euforia, Mrs. Wellington entró literalmente de un salto en aquella sala que contenía un enorme escenario circular. Bulldogs franceses ataviados con altas pelucas blancas y vestidos de corsé hacían orgullosas cabriolas por todo el escenario. Se trataba de la última moda de la Francia de finales del siglo XVIII, solo que lucida por perros.

Schmidty, Macarrones y los niños se reunieron alrededor de la anciana intentando conseguir que les hiciera caso.

—¡Disculpe! —dijo Madeleine con vehemencia mientras le daba unos golpecitos en el brazo—. ¡No podemos despistarnos! Mrs. Wellington, el destino de la escuela depende de que encontremos a ese ladrón.

—Pero es que hay perros con peluca… —masculló la directora como si estuviera hechizada.

—¡Eso no importa! Tenemos que encontrar al ladrón. ¿No se da cuenta de que, si pierde la escuela, nosotros perderemos cualquier oportunidad de curarnos? —suplicó Madeleine—. ¡Míreme bien! ¡Llevo puesto un gorro de ducha en público! ¡Está claro que todavía queda mucho trabajo por hacer!

—Perros… pelucas… vestidos… pendientes… pintalabios… —profirió Mrs. Wellington con dificultad y sin apartar la mirada del escenario ni un momento.

—Maddie tiene razón —dijo Garrison—. Quien esté detrás de esto tiene poder para acabar con la escuela y con nosotros. No pienso pasarme la vida siendo un falso surfista. No me da la gana que toda mi identidad esté basada en una mentira, ¿sabes?

—Sé cómo te sientes; yo ya estoy bastante harta de todos esos falsos viajes al baño cuando salgo con mi familia —admitió Lulu—. La Escuela de Mrs. Wellington es lo único que ha conseguido ayudarme. Hipnosis, terapia, sobornos... nada ha dado resultado.

—Detesto admitirlo, pero es solo cuestión de tiempo que mis hermanos y hermanas me pillen espiándoles... y entonces me acribillarán con huevos encurtidos de la tienda de delicias coreanas... y a mí ni siquiera me gustan los huevos... y, sinceramente, estoy más que cansado de preocuparme por ellos las veinticuatro horas del día. Si esto sigue así, para cuando llegue al instituto ya necesitaré Botox —expuso Theo con gran dramatismo mientras sacudía la cabeza.

—Ensalada dice que esto es mejor que ver un *reality show*. ¡Los mejores amigos del mundo en plena crisis emocional! Es una de las experiencias que más unen en la vida —exclamó Dahlia con orgullo.

—Y ahora ya lo has estropeado —espetó Lulu.

—Con Mrs. Wellington en su estado actual —dijo Madeleine mientras miraba a la anciana, que avanzaba entre la multitud con Macarrones a hombros—, la labor de encontrar al ladrón recae sobre nosotros. Tenemos que movernos con rapidez y eficacia, así que sugiero que nos dividamos en grupos y hagamos todo lo posible por encontrarlo. En vista de que esa persona tiene un gran conocimiento de la escuela, no me sorprendería que fuera él, o ella, quien nos encontrara a nosotros. Además, llamamos bastante la atención porque somos las únicas personas que no vamos disfrazadas de perros.

—Yo voy con Maddie, ya que Theo y Garrison parecen estar bastante unidos a Dahlia... —dijo Lulu con una media sonrisa.

—¡Ay, Dios mío! ¡Ensalada y yo en una cita doble de amigos con Theo y Garrison!

—Será mejor que no esperes que Ensalada tenga ninguna cita conmigo —refunfuñó Theo—. No es la primera vez que alguien intenta emparejarme con una hurona.

—Schmidty, ¿estará usted bien buscando por su cuenta?

—Desde luego, Miss Madeleine —dijo el conserje—. Trabajar con la señora me ha preparado para enfrentarme a casi todo lo que tenga que ver con un concurso de belleza.

Ante el grupo se abría un auténtico laberinto de salas. Sin saber muy bien por dónde empezar, Garrison decidió entrar en la que le quedaba más cerca. El chico tiró de Dahlia, que a su vez tiró de Theo, y así fue como partió su convoy de tres niños y una hurona. Pasaron junto a barriles, sortearon gavillas de paja y atravesaron un arco reluciente sin mirar atrás ni una sola vez para ver qué dirección habían enfilado sus amigos.

La siguiente sala estaba muchísimo más abarrotada aún, lo cual les provocó enormes problemas de movilidad a los tres niños. Mientras Garrison, Dahlia y Theo se veían empujados y arrastrados tanto por humanos como por perros, el público estalló en un coro de «oooh» y «aaah».

—No veo el escenario, ¿qué está pasando? —les preguntó Garrison a Dahlia y a Theo.

—Yo digo que hay un perro haciendo un bocadillo, o a lo mejor algún tipo de plato de pasta. ¡Sí, un espectáculo de perros cocineros! ¿Cómo es que nunca se le había ocurrido a nadie? ¡Es genial!

—Ensalada no cree que eso sea ni remotamente posible. En realidad, Ensalada nunca está de acuerdo con nada de lo que dices, Theo.

—Bueno, ¿y no es un encanto? La hurona criticona… —replicó Theo, malhumorado, mientras la muchedumbre rompía a aplaudir de pronto con entusiasmo.

—Por lo que sabemos, Mrs. Wellington podría estar ahí arriba maquillando a Macarrones —intervino Garrison mientras paseaba la vista entre la gente, buscando a alguien sospechoso. No era una tarea fácil; a fin de cuentas, la muchedumbre en sí consistía en un montón de excéntricos disfrazados de chuchos.

—Ensalada cree que eso parece bastante más probable que lo del espectáculo de perros cocineros —repuso Dahlia con petulancia.

Theo le dirigió a Ensalada una mirada desagradable. Ya estaba harto de los desprecios de aquel roedor. Además, él no se había metido con los dientes retorcidos y amarillentos del bicho, ni siquiera había dicho nada de sus uñas, que estaban en un estado casi tan cuestionable como las de Schmidty.

Garrison condujo a su procesión hasta un lateral de la sala, donde empezaron a abrirse paso a codazos a lo largo de la pared de la carpa. Tras unos cuantos golpetazos y varias magulladuras más, por fin lograron entrever lo que sucedía en el escenario. Un basset de hábiles patas hacía cabriolas de una punta a otra lanzando al aire un largo hueso blanco, el cual volvía a atrapar apenas segundos después como si fuera un bastón. El animal iba ataviado con una gorrita roja y dorada que a Theo le hizo pensar en la de un botones, y también llevaba unas muñequeras rojas alrededor de cada pata. La verdad es que era bastante espectacular ver todo lo que era capaz de hacer aquel perro mientras el hueso estaba en el aire, y luego conseguir atraparlo de nuevo. Era imposible negarlo: tenía un talento excepcional. Sabía dar volteretas, caminar sobre las patas traseras y saltar como una bailarina, todo ello antes de atrapar el hueso desde una posición sedente.

Por un momento, Theo, Dahlia y Garrison se quedaron completamente absortos con el espectáculo y olvidaron del todo la misión que tenían a su cargo. No fue hasta que vieron aparecer a Finca cuando recordaron su cometido. El cinturón de campanillas de la mujer tintineaba mientras avanzaba vaporosamente por el escenario con sus tentáculos de pulpo balanceándose a lado y lado de ella.

—Barclay, el Basset del Bastón —dijo la maestra de ceremonias con su áspera voz—. Un perro con mucho talento, si me está permitido decirlo. Y vayamos ahora con el siguiente concursante: ¡el Doguillo Don!

—Muy bien, tenemos que seguir avanzando —susurró Garrison—. Hay mucho espacio que peinar.

—Está bien —se lamentó Theo—, aunque siento cierta curiosidad por ver qué hará ese doguillo.

Sacudiendo enseguida la cabeza, Garrison volvió a tirar de Dahlia y de Theo por entre la gente, recibiendo a menudo empujones y patadas al intentar avanzar. Justo cuando los tres niños se acercaban al borde de la enorme masa de personas, Don soltó un aullido agudo que asustó a Ensalada. El pelaje gris de la pequeña hurona se puso de punta mientras sus ojillos brillantes recorrían toda la sala con nerviosismo. A todas luces presa del pánico, la hurona saltó desde el hombro de Dahlia y desapareció al instante entre el bullicio.

—¡Ensalada! —gritó la niña, lo cual provocó que un murmullo recorriera la muchedumbre—. ¡No me abandones! ¡Tú eres mi mejor amiga número uno! ¡Por favor!

A cuatro patas, aquella niña tan menudita se lanzó al rescate de su mascota. Mientras Dahlia avanzaba a gatas a la velocidad de la luz sin dejar de exclamar ni un momento el nombre de su hurona, la gente intentaba hacerla callar para que no interrumpiera el número de Don, pero no había forma humana de detenerla. A esas alturas, Theo y Garrison habían perdido completamente de vista a la niña en el abigarrado gentío y solo oían su voz muy lejana entre los vítores y los gritos del concurso. Los dos niños se masajearon la mano mientras se miraban sin saber muy bien qué hacer a continuación.

En una sala que no quedaba muy lejos de allí, Madeleine y Lulu avanzaban con sigilo entre la multitud, repasando atentamente con la mirada a todas las personas que encontraban. De no haber sido tan grave la situación, Lulu se lo habría pasado en grande jugando a detectives toda la tarde. Al fin y al cabo, siempre le había atraído la idea de hacer carrera en los servicios secretos.

—Es que no entiendo por qué va la gente vestida de perro —le susurró Madeleine mientras las dos peinaban la sala con la mirada—. Este concurso de belleza es para los perros, no para las personas.

—Seguramente se sienten humillados porque esta sea su idea de pasar un buen rato. Piénsalo bien. ¿A qué clase de persona le gusta vestir a su perro con traje de gala?

—¿Traje de gala? —preguntó Madeleine, a lo que Lulu señaló con la cabeza hacia el fondo de la carpa.

En un pequeño escenario que había en un rincón, bajo una pancarta de letras rojas que anunciaba SUPERDIVAS SALCHICHA, había tres perros salchicha con peluca, pintalabios y un montón de collares de perlas.

—¿Sabes lo más enfermizo de todo? Que me apuesto lo que quieras a que esas perlas son auténticas —dijo Lulu sin dejar de avanzar por la sala.

La verdad es que el pobre Schmidty no tendría que haberse quedado solo, porque su visión se había limitado a la tenue luz de la carpa. Había tardado la friolera de diez minutos en darse cuenta de que el hombre que lo estaba mirando era, en realidad, su propia sombra.

A renglón seguido del incidente de la sombra, Schmidty se dirigió hacia la sala contigua tropezando con no pocos hombres, mujeres y perros. Al viejo nunca le habían gustado mucho las multitudes, pero la situación en la que se encontraban lo había puesto todavía más nervioso. Aquel evento era demasiado caótico para que el ladrón pudiera localizarlos. Además, Schmidty estaba preocupado, porque ¿qué clase de ladrón escogería semejante escenario para una reunión? Había visto suficientes películas para saber que algo así habría tenido que realizarse en un garaje abandonado o en un callejón oscuro.

Ay, todo aquel tinglado era sencillamente ridículo, pensó Schmidty mientras se abría camino a pasitos diminutos hacia un escenario lleno de perros pinscher miniatura. A Schmidty nunca le habían gustado demasiado los minipins, como los llaman a veces. Su carácter mandón le recordaba demasiado al de Mrs. Wellington.

Cuando el desfile marcial de los minipins llegó a su fin, Finca subió al escenario y empezó a valorar a cada uno de ellos. Los extraños brazos flacuchos de la mujer eran tan largos que le permitían acariciar a los perros sin agacharse.

—Basándome en su poderío, sus patas y su pelaje, declaro ganador a Charles —proclamó Finca con voz ronca—. Y, recordad, dentro de tan solo unos minutos dará comienzo el espectáculo de Bailarinas Bulldog en la carpa principal.

Si alguna vez hubiera de aparecer una bombilla sobre la cabeza de Schmidty, sin duda habría sucedido en ese preciso instante. Si el ladrón sabía tantísimo sobre su señora como creía el conserje, no habría lugar mejor que ese para encontrarlo.

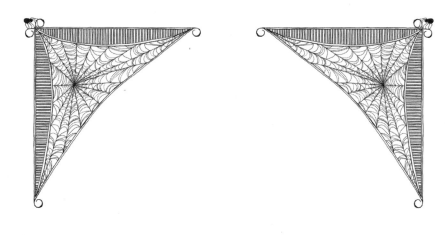

CAPÍTULO 18

Todo el mundo tiene miedo de algo:
la xantofobia es el miedo
del color amarillo.

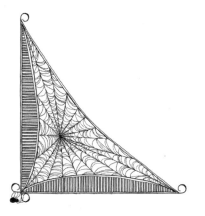
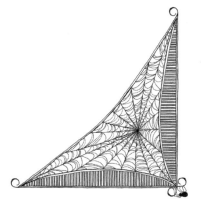

Theo y Garrison se habían quedado quietos y hacía más de tres minutos que no decían ni una palabra. Junto a una bulliciosa muchedumbre compuesta por personas y perros, los dos niños se miraban uno al otro sin saber qué hacer.

—Dahlia no quería que la siguiéramos, ¿verdad? —preguntó Garrison, fingiendo no saber la respuesta (tan increíblemente evidente) a esa pregunta.

—Lo dudo mucho —dijo Theo, siguiéndole la corriente—. La verdad es que creo que Ensalada quería pasar algo de tiempo a solas con Dahlia y por eso ha salido corriendo. Habría sido muy grosero por nuestra parte intentar seguirlas; algo así como estropearles una cita.

—Y que lo digas. Además, ella no querría que nos olvidáramos de Mrs. Wellington y del ladrón. Quiero decir que… alguien tiene que seguir tras la pista, ¿verdad?

—Verdad —convino Theo sin dejar de masajearse la mano—. Bueno, ¿y qué probabilidades crees tú que tenemos de encontrar un carro con tentempiés o una barra de bufet aquí dentro?

—Theo, ¿alguna vez te ha examinado un médico para asegurarse de que no tienes un gusano en el estómago?

—Montones de veces —respondió Theo como si nada—. Yo diría que un mínimo de dos veces al año.

Garrison llevó a su amigo hacia la sala siguiente sin dejar de preguntarse si sería posible que aquel gordinflón saciara algún día su apetito. Por suerte, Lulu y Madeleine entraron en la carpa principal al mismo tiempo que ellos. Como las niñas eran las únicas humanas que no iban disfrazadas, les resultó bastante fácil encontrarlas.

—¿Dónde está Dahlia? —espetó Lulu cuando se les acercaron.

—Hummm, Ensalada y ella querían pasar algo de tiempo a solas para ponerse al día, o algo así. Ya sabéis cómo son los hurones: tan reservados… —explicó Theo.

—Sí, seguro —dijo Lulu, y soltó una carcajada—. Tengo que reconocerlo, Theo, no creía que fueras capaz de darle esquinazo a esa pequeña mocosa.

—Yo no le he dado esquinazo, Lulu. ¡No intentes mancillar mi buen nombre!

—Eso suena a una frase robada de alguna película.

—Pero no hace que sea ni una pizca menos cierto.

—Está bien, vale ya —intervino Madeleine con firmeza—. ¿Alguno de vosotros dos ha visto algo sospechoso? ¿O a Mrs. Wellington y a Macarrones, quizá?

—Pues no —contestó Garrison.

—Yo creo que lo más probable es que el ladrón se acerque solo a Mrs. Wellington, así que no deberíamos perderla de vista.

—Me parece que eso no va a ser ningún problema —repuso Lulu, y señaló al escenario principal, donde Finca se había colocado bajo una pancarta en la que se leía BAILARINAS BULLDOG.

—Hola a todo el mundo. Como la mayoría de vosotros sabe ya, soy Finca, maestra de ceremonias, y es para mí un gran honor presentar a las Bailarinas Bulldog, mi número preferido de la velada.

Mientras la mujer hablaba, Madeleine vio a Schmidty al otro lado del escenario mirando a la muchedumbre con los ojos muy entornados. Aunque estaba claro que el anciano no podía verlos, Madeleine dio las gracias por haber localizado al menos a uno de los miembros desaparecidos de la comitiva.

—Esto está muy mal… están humillando a esos perros —dijo Garrison mientras los amos hacían subir al escenario a sus bulldogs ingleses vestidos de tutú.

—¿Qué clase de nombre es Finca? —preguntó Theo sin dirigirse a nadie en concreto—. Desprende un aura de auténtica estrella, algo parecido a Cher o Madonna. Sin duda me veo poniéndole ese nombre a mi hija.

—Eres peor que Dahlia, hablando de tus hijos. Hummm, ¡la Tierra llamando a Theo! Ni siquiera has entrado aún en la pubertad —dijo Lulu, y puso ojos de exasperación.

—Bueno, no tienes por qué restregármelo por las narices. ¿Y tú por qué mencionas a Dahlia? ¿Solo para atormentarme? ¡La culpabilidad me está asfixiando!

—¡Mirad, allí está! —les susurró Madeleine a los demás—. Pero, por la reina, ¿qué se ha hecho Mrs. Wellington?

—Caray, esta vez sí que se ha pasado —dijo Garrison, apartando la mirada con bochorno.

—No le queda nada bien —afirmó Lulu con sinceridad.

—Ni a ella ni a Macarrones —añadió Theo, sacudiendo la cabeza.

—No podemos dejar de vigilar al público —dijo Madeleine, dándoles instrucciones—. Seguramente, en este momento el ladrón estará observando a Mrs. Wellington igual que nosotros. Aunque hay probabilidades de que no la reconozca en… semejantes condiciones.

Incluso bajo la tenue luz de las velas, era difícil no ver la excentricidad del atuendo de Mrs. Wellington. Se había arrancado la mitad del tutú y se lo había puesto a Macarrones como si fuera una faldita. Además de eso, la anciana le había dado al bulldog su media melena castaña postiza, y ella se había puesto el collar de Macarrones en la cabeza como si fuera una cinta. Sin embargo, lo que quizá resultaba más espantoso eran los enormes pegotes de vaselina que les caían de la boca a ambos. Mrs. Wellington creía que una reina de la belleza tenía que untarse todos los dientes con vaselina para lucir una sonrisa brillante.

Aunque los demás bulldogs ingleses del escenario iban vestidos con tutús y medias, ninguno llevaba peluca. Y aunque Mrs. Wellington era la única dueña que había subido al escenario sin disfraz de perro, consiguió parecer la más chiflada con diferencia; con mucha, mucha diferencia. A juzgar por su conducta, no podía uno estar muy seguro de que Mrs. Wellington supiera que aquel concurso era para perros.

Al otro lado del escenario, los mofletes de Schmidty se pusieron más que colorados. El anciano estaba terriblemente preocupado por lo que podría hacerles semejante disfraz a la auto-estima y la masculinidad de Macarrones. Sí, claro, Macarrones se ponía pijama y le gustaba que le hicieran la pedicura de vez en cuando, pero aquello ya era demasiado. Schmidty se dio unos toquecitos nerviosos en el peinado estilo caracola mientras buscaba la escalera para subir al escenario. Tenía que hacer algo y punto.

—Creo que Schmidty va a convencer a Mrs. Wellington para que baje —les susurró Theo a los demás.

Sin embargo, antes de que el conserje lograra dar con la escalera, una pareja vestida con chándal amarillo a juego, orejas marrones caídas y hocicos negros, salieron al escenario bailando un vals. Mientras la pareja se acercaba a Finca, todos pudieron ver que la mujer llevaba un caniche en una mochila portabebés.

—Finca, sentimos muchísimo interrumpir —dijo el hombre en tono animado—, pero se trata de una emergencia perruna. Esta noche, aquí, la vida de un perro pende literalmente de un hilo.

—Será mejor que tengan razón, porque han interrumpido el espectáculo más importante de la función —soltó Finca con rabia, esperando que la pareja no intentara hacer pasar su caniche por un bulldog.

—Por favor, tiene que creernos. ¡Ese pobre bulldog de ahí, el de la peluca, está en grave peligro! —gritó la mujer del caniche—. ¡Y esa anciana vestida con medio tutú, Mrs. Wellington, tiene la culpa!

—¿Perdón? —dijo Mrs. Wellington, que de golpe y porrazo les prestaba atención—. Estáis arruinando nuestro momento. ¿No podríamos hablar de esto después de que Macarrones y yo ganemos? ¿Quizá con un té y unos trofeos?

—No, está clarísimo que no podemos posponer esta conversación. Macarrones está siendo maltratado, y esperamos que responda usted de ello ante todos estos amantes de los animales —dijo el hombre, con voz tensa, desde debajo de su gran hocico negro.

—¿Conque habéis sido vosotros los bobalicones de manos largas que han allanado mi morada de Summerstone y me han robado todas las pelucas? —respondió Mrs. Wellington, sacudiendo la cabeza con reprobación en dirección a la pareja.

—¡No, nosotros somos los Knapp! —exclamaron los dos al unísono antes de quitarse las orejas y los hocicos.

—¿Os hacéis una idea de lo que supone para una reina de la belleza vivir con una sola peluca? ¡Es una auténtica tortura! —sentenció Mrs. Wellington.

—Tortura es lo que hace usted con ese perro —anunció en tono confidencial Mr. Knapp—, y por eso hemos venido a detenerla.

—¿Qué? —preguntó la anciana con sincero desconcierto—. ¿Os referís a la peluca y al tutú?

—No. La verdad es que pensamos que a los perros les gusta disfrazarse —contestó Mrs. Knapp—. Les ayuda a estar en contacto con su lado más creativo.

—Bueno, al menos en eso estoy de acuerdo.

—Muy bien, o sea que no es por el tutú —interpuso Finca—. Acabemos ya con esto, que aquí tenemos un concurso que celebrar.

—¡Mrs. Wellington no le pone a Macarrones cinturón de seguridad para perros! —soltó Mr. Knapp.

—¿Dejarían ustedes que sus bebés viajaran en coche sin cinturón de seguridad? —preguntó Mrs. Knapp con gran dra-

matismo a la concurrencia—. Cualquier frenazo brusco y...
¡bum! ¡El niño por el parabrisas!

—Es cierto que no tengo cinturón de seguridad para Macarrones —admitió Mrs. Wellington ante los Knapp, Finca y el público—, pero eso es porque tampoco tengo coche, ¡bobos!

—Además de eso, se niega usted a que le pongan un corrector dental y a que le hagan acupuntura, ¡y ni siquiera lo ha apuntado a clases de yoga! ¡Los perros necesitan hacer yoga para relajarse! —chilló Mrs. Knapp, con las emociones a flor de piel.

—¿Yoga? A Macarrones ni siquiera le gusta estirarse, y mucho menos hacer yoga. Es un bulldog, y todo el mundo sabe que carecen de aptitudes mentales y físicas para el yoga. Pensaba que, siendo dueños de un perro, ya deberíais saberlo, pero está claro que me equivocaba. Aunque, por supuesto, ¿qué se puede esperar de unos ladrones de pelucas!

—¿Y qué me dice de cómo le hace trabajar, puliendo muebles con la lengua? —continuó acusando con ferocidad Mrs. Knapp.

—Yo jamás obligaría a Macarrones a hacer nada parecido. Siempre reservo todos los trabajos denigrantes para mi criado, Schmidty.

En ese momento el conserje intentó subir al escenario, pero, como estaba bastante grueso y era de cintura prominente, no acababa de conseguirlo.

—¡Anda, pero si ahí está Schmidty! ¿Lo veis? El del peinado a lo caracola y la barriga enorme. ¡Podéis preguntarle a él en persona! —espetó Mrs. Wellington con aire triunfal—. No cabe duda de que él es el único al que se maltrata en mi casa, y eso es solo porque le gusta.

Finca, que sintió lástima al ver los apuros que pasaba el hombre, utilizó sus largos brazos para ayudar al orondo Schmidty a trepar al escenario.

—Muchísimas gracias, Miss Finca. Últimamente no he podido ir mucho al gimnasio —murmuró Schmidty con bochorno mientras se ponía de pie—. Es verdad, Mr. y Mrs. Knapp, soy yo, y no Macarrones, el que en alguna ocasión he limpiado el mobiliario con la lengua y mi propia saliva. Donde ponía más empeño era en el caparazón de Mesa, que ustedes robaron sin compasión de Summerstone... que me robaron a mí. Así que, antes de que sigan con la señora, tendrán que darme explicaciones a mí por su vil latrocinio.

—Intentábamos salvar a Macarrones —explicó Mr. Knapp de una forma inconexa—, pero Macarrones nunca se separaba de usted ni de Mrs. Wellington ni un solo segundo, así que empezamos a llevarnos objetos al azar para confundirles. Incluso sobornamos a ese extraño hombre del bosque para que los distrajera. Estaremos encantados de devolverles todas esas cosas... ¡Solo queremos a Macarrones!

—Bueno, pues no pueden llevárselo —dijo Schmidty con rotundidad.

—¡Ustedes no lo merecen! —contestó Mrs. Knapp.

—¡Yo desde luego que sí! ¡Le cepillo los dientes a este perro dos veces al día!

—Sí, puede que le cepille los dientes, pero ¿qué me dice de la horrible y peligrosa forma en que le dan de comer? —dijo Mr. Knapp mientras intentaba mantener su sonrisa.

—De todos los disparates sin pies ni cabeza que he oído a lo largo de mi vida, este es sin duda el peor —intervino Mrs. Wellington—. Este perro come en un cuenco de plata de ley, sentado en una silla a la mesa del comedor de gala de mi mansión. ¿Qué podría haber más civilizado que eso? Y no me digan que lo vista de esmoquin, porque ya lo hemos intentado y sencillamente no lo soporta.

—¿No se les ha ocurrido ponerle a Macarrones cada trocito de comida de lata en la lengua con cuidado para asegurarse de que no coma demasiado deprisa y se ahogue? —preguntó con voz tensa Mrs. Knapp.

—¿Por qué parar ahí? A lo mejor también ustedes deberían premasticarle la comida a su perro —propuso con sarcasmo Mrs. Wellington.

—Ya lo hemos intentado. A Jeffrey no le gusta. Su terapeuta animal dice que le hace sentirse demasiado como un pájaro —contestó Mrs. Knapp, haciendo que el público ahogara una exclamación de repugnancia.

—¡Basta! —gritó Finca—. ¡Como maestra de ceremonias, voy a poner fin a esta locura!

—Gracias —dijeron al unísono Mr. y Mrs. Knapp—. Es exactamente para lo que habíamos venido. Sabíamos que usted lo comprendería.

—¿Comprenderlo? —replicó Finca antes de echarse a reír como una histérica—. Lo único que comprendo es que han estropeado ustedes mi parte preferida del Concurso Cosmético Canino, y pagarán por ello.

—¿Qué? —exclamaron los Knapp, horrorizados.

—Voy a inscribirlos en la lista negra de todas las tiendas de animales especializadas de la región del Nordeste. Eso quiere decir que se acabaron las sudaderas para perros, los zapatos para perros, los masajes para perros y, sobre todo, el yoga para perros. Tendrán suerte si les dejan entrar en el veterinario.

A Mrs. Knapp le dio un ataque de histeria fulminante, lo cual obligó a su marido a llevarse a Jeffrey y a ella del escenario.

—Bien hecho, Finca —exclamó Mrs. Wellington, victoriosa—. Bien hecho.

—Bueno, no he acabado todavía, Wellington —repuso con voz maliciosa la maestra de ceremonias.

—Ay, madre mía. Dudo mucho que esos dos puedan soportar algo más —dijo la anciana con toda sinceridad.

—¿Lo está pasando bien en el concurso, Mrs. Wellington?

—¡Es el día más feliz de mi vida! Jamás pensé que dos de mis grandes pasiones, los concursos de belleza y los perros, pudieran reunirse. ¡Es el lugar más maravilloso y espectacular de toda la Tierra!

—Lo es, ¿verdad? —dijo Finca mientras miraba a Mrs. Wellington fijamente a los ojos—. Por desgracia, será la primera y la última vez que se le permita asistir a un concurso cosmético canino. Por su acto de alteración del orden público, ¡pienso prohibirle la entrada a todos los concursos cosméticos caninos del mundo entero por lo que le queda de vida!

—¡No! —bramó Mrs. Wellington mientras caía de rodillas—. ¡Por favor, haré cualquier cosa, lo que sea! ¡No me quite esto! ¡No nos lo quite! ¿Qué ha hecho Macarrones para merecer esto?

—El mal ya está hecho —dijo Finca con frialdad.

—¡Mrs. Wellington! —gritó Dahlia mientras lograba trepar al escenario con Ensalada subida al hombro—, ¿dónde están esos niños malvados? ¡Ensalada quiere castigarlos!

—¡¡¡¡¡Todos ustedes, fueeeraaaaaa!!!!!! —rugió Finca muy enfadada—. ¡Largo! ¡Fuera de aquí ahora mismo o también les prohibiré que compren ropa para perros!

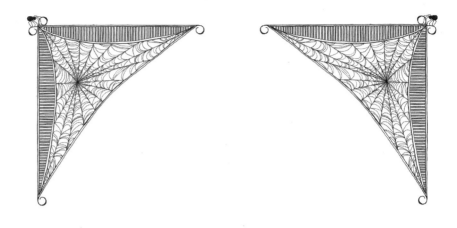

CAPÍTULO 19

TODO EL MUNDO TIENE MIEDO DE ALGO:
la atiquifobia es el miedo
del fracaso.

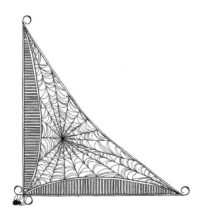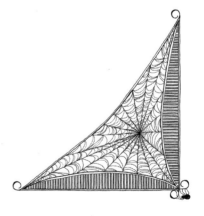

El parque Franklin estaba iluminado por los últimos rayos de sol cuando Mrs. Wellington salió con paso abatido de la carpa de rayas rojas y blancas. Al sentir la suave brisa en su calva, la anciana vestida con medio tutú rosa se acordó de que Macarrones todavía llevaba puesta su peluca. Aunque jamás lo admitiría ante Schmidty, y menos aún ante los niños, estaba un pelín decepcionada porque los Knapp hubiesen resultado ser los ladrones. A su ego le habría gustado muchísimo más creer que una antigua rival seguía temiendo su belleza.

Su siempre atento criado, Schmidty, volvió a colocarle la peluca en la cabeza después de retirar el collar de Macarrones. Luego se acercó al bulldog y le quitó el tutú. No podía soportar ver al perro vestido con tules de color rosa ni un segundo más.

Mrs. Wellington y Schmidty llevaron al grupo de vuelta a la furgoneta a un ritmo bastante brioso, sobre todo teniendo en cuenta que ya tenían una edad. Unos cuantos pasos por detrás de la profesora y el conserje, Lulu, Garrison y Madeleine caminaban en silencio. Los brazos de Madeleine se movían sin ton ni son, como siempre, en un vano intento de disuadir a bichos e insectos de acercarse a ella.

—¿Sería mucho pedir que también vosotros agitarais los brazos, por favor? Con seis brazos en movimiento en lugar de dos, tengo más probabilidades de sobrevivir a la caminata hasta la furgoneta sin ningún encontronazo.

—Claro —accedió Garrison, que estaba demasiado cansado para montar ningún escándalo por la irracional petición de Madeleine.

—Fantástico. Además de caminar detrás de una anciana vestida con medio tutú y de un hombre que lleva la cinturilla de los pantalones subida hasta el cuello, tenemos que ir los tres moviendo los brazos como si fuéramos una panda de chalados —refunfuñó Lulu—. No me extraña que nos hayan expulsado de un concurso de belleza para perros por ser demasiado raros.

Un buen trecho por detrás de los molinillos de brazos iban Theo, Dahlia y Macarrones. Theo había quedado exhausto después de todo el alboroto del concurso y avanzaba a un paso exageradamente lento.

—¡Thee Thee, dale marcha! ¡Ensalada cree que tienes que apretar el paso pero mucho!

—Hace horas que no pruebo ni un bocado. ¿Te haces una idea de lo que supone eso para un hombre en edad de crecimiento?

Dahlia intentaba tirar de Theo, pero el niño se negaba a ir más deprisa. Macarrones los adelantó entonces a los dos, para gran fastidio de la pequeña. El hecho de que un bulldog pudiera bambolearse a más velocidad que Theo parecía un insulto al orden natural de las cosas. Normalmente, a Dahlia no le habría importado lo más mínimo, pero todavía seguía un poco rabiosa por que la hubieran dejado sola dentro de la carpa.

—Deja de tirarme del brazo. Tengo las articulaciones muy sensibles —protestó Theo.

—A Ensalada le gustaría saber si ese diagnóstico te lo ha dado un médico.

—Más o menos… Me diagnostiqué yo mismo después de ver a un actor fingiendo ser un médico en la tele.

—Ensalada dice que en el brazo no te pasa nada. ¡Dice que el único problema que tienes es que no estás en forma! ¡Pues vaya cosa!

—Dile a tu hurona que no reacciono demasiado bien al refuerzo negativo. Si de verdad quieres que esta situación mejore, podrías cantar algo de *High School Musical* para volver a infundirme entusiasmo.

—¡Dahlia! —vociferó Lulu desde bastante más adelante.

—Dada —corrigió la niña.

—¿De verdad? ¿Todavía insistes en corregirnos? —replicó Lulu mientras se detenía y daba media vuelta para mirarla—. Está claro que ese apodo no ha tenido ningún éxito; ya va siendo hora de que lo dejes correr. Ah, y como te pongas a cantar, no me hago responsable de mis actos.

—Lulu, no deberías amenazarla… solo es una niña. Una niña de lo más fastidiosa, pero una niña al fin y al cabo —terció Madeleine con una voz bastante severa.

—¡Gracias, Mad Mad! —exclamó Dahlia con un poco más de entusiasmo del necesario.

—¡Ay, vale ya con eso de Mad Mad! Ya es hora de que aceptes sin más que no se te da muy bien buscarle apodos a la gente, Dahlia. La verdad es que a mí tampoco. Por eso simplemente llamo a todo el mundo por su nombre.

—Ensalada cree que en secreto te gusta que te llamen Mad Mad, ¡y que debería seguir llamándote así por mucho que digas!

—Dile a Ensalada que en ciertas partes de Inglaterra la gente se come a los hurones —dijo Madeleine con crudeza.

Cansados, enfadados y con mucha hambre, los alumnos recorrieron en silencio lo que quedaba de camino hasta la furgoneta. Aparte de los pesados jadeos de Macarrones y del canto de los grillos, no se oía ni un solo sonido.

Ahora que no tenían que llegar a la inauguración de ningún concurso de belleza, todo el mundo esperaba que Mrs. Wellington respetara las normas básicas de circulación, que mirara a la carretera y, en general, que se esforzara por llevarlos a casa sanos y salvos. Sin embargo, en cuanto giró la llave, la anciana pisó a fondo el pedal del acelerador y apartó la vista de la calzada.

—Señora, por muy grato que haya resultado estar a punto de morir y acabar detenidos de camino aquí, ahora ya no tenemos ninguna prisa por llegar a casa, así que quizá pudiera usted reducir la velocidad a solo quince kilómetros por hora por encima del límite —dijo Schmidty cuando los neumáticos de la furgoneta chirriaron con fuerza al doblar una esquina.

—Sí, supongo que tienes razón. No es que en casa tengamos a nadie esperándonos.

—En realidad allí están los gatos, pero segurísimo que no nos están esperando. Es muy probable que ni siquiera se hayan dado cuenta de que nos hemos ido, porque se habrán pasado todo el día durmiendo —expuso Theo, sacudiendo la cabeza—. Para que luego me llamen a mí perezoso.

—Disculpadme, pero ¿es que se os ha olvidado a todos que hay cientos de arañas y milpiés recorriendo la casa, esperando a que lleguemos? ¡Ay, no! Solo con pensarlo me pongo mala —se lamentó Madeleine.

—Pues deja de pensarlo —contestó Garrison con firmeza—, porque la verdad es que no me apetece que te pongas mala y vomites en el coche. Y esto te lo digo tanto en calidad de amigo como en calidad de chico que está sentado a tu lado.

Los alumnos fueron durmiéndose y despertándose a ratos, sobresaltados por el sonido de las bocinas de los demás coches o de los neumáticos al chirriar. Sin embargo, cuando Mrs. Wellington entró en la calle Mayor de Farmington, todo el mundo ya estaba más que despierto y salivando solo con pensar en cenar algo caliente antes de irse a la cama.

Para gran sorpresa de Mrs. Wellington y de Schmidty, el sheriff estaba esperándolos frente a la estación. Aun a pesar de la larga sombra que proyectaba la ancha ala de su sombrero, el conserje vio en su expresión que algo terrible había sucedido. El sheriff no era de los que palidecen con facilidad, pero se le había quedado la cara totalmente blanca. Sin fijarse en la expresión del sheriff, Mrs. Wellington bajó de la furgoneta mientras Schmidty seguía sentado, preparándose para lo que fuera que se les venía encima.

—Hola, sheriff. Qué civilizado y cortés por su parte salir a la acera a recibirnos —dijo la anciana profesora con una sonrisa—. Lamento muchísimo decepcionarlo, pero no he vuelto a casa con un trofeo, y Macarrones tampoco, ¡aunque solo porque esos idiotas de los Knapp consiguieron que nos expulsaran del concurso cosmético canino! Sinceramente, esos dos son un incordio total y tienen un gusto catastrófico en cuestiones de moda. Me parece que deberíamos presionar al Congreso para que apruebe una ley que regule los matrimonios que se visten a conjunto.

—Mrs. Wellington, me parece que será mejor que entre. Tengo que darle una noticia algo inquietante y creo que a lo mejor necesitará tomar asiento.

—¡Oh, no! —exclamó la mujer en un susurro, sin moverse ni un centímetro—. ¡No me diga que Schmidty ha muerto!

—¿Qué? No. Está ahí mismo —respondió el sheriff mientras Schmidty se reunía con ellos dos en la acera, dejando a Macarrones y a los niños en la furgoneta.

—¡Ay, gracias a los cielos! Por un momento he pensado que habías muerto —dijo Mrs. Wellington volviéndose hacia él.

—¿Pensado o esperado? —espetó como respuesta el anciano—. Sheriff, por lo preocupado de su expresión presiento que ha acontecido algo harto funesto. ¿Podría suponer que Munchauser ha robado otro caballo de carreras? ¿O que ha perdido a su gato en una partida de póquer?

—Ojalá pudiera contestar que sí, pero no es Munchauser. Se trata de una mujer llamada Sylvie Montgomery.

—¿Sylvie qué? —preguntó Mrs. Wellington, perpleja.

—No recuerdo que la señora tuviera nunca a ninguna alumna que se llamara Sylvie.

—Sylvie no es una antigua alumna. Es periodista, y ha llegado a la ciudad hace más o menos una hora. Mrs. Wellington, conoce la escuela. Y, por lo que me ha estado explicando, la interpretación que hace de sus métodos es bastante horrible. Estoy seguro de que ambos podrán imaginarse lo mal que suenan según qué cosas cuando alguien que nunca ha estado en Summerstone las saca de contexto.

—Pero ¿cómo? —susurró Schmidty—. ¿Cómo ha podido descubrir tanto de nosotros?

—Por lo visto, alguien de dentro le ha dado la exclusiva en el concurso cosmético canino.

—Ay, mi madre —masculló Schmidty.

—Y eso no es lo peor de todo —siguió explicando el sheriff.

—Esa mujer está a punto de sacar a la luz pública mi escuela, un lugar que he mimado como si fuera mi propio hijo, ¿y aún hay algo peor? ¿Cómo es posible? Y no me diga que ha matado a Schmidty. No creo que pudiera soportarlo…

—De nuevo, señora, estoy aquí mismo, vivito y coleando.

—Ay, gracias a los cielos —dijo Mrs. Wellington con teatralidad, llevándose una mano a la frente.

—Sylvie sabe lo de Abernathy. Su artículo dice que las tácticas poco ortodoxas de la escuela provocaron que acabara viviendo en el bosque, solo y aislado de la sociedad. Es un material bastante sensacionalista.

—¿Cuánto tiempo tenemos? —masculló Mrs. Wellington.

—Sylvie dice que publicará el reportaje a final de mes. Solo está esperando hasta entonces para conseguir que salga en primera plana.

—Jamás pensé que esto terminaría así, pero, claro, tampoco había pensado que fuera a terminar —dijo Mrs. Wellington con la cara blanca… salvo por la sombra de ojos y el pintalabios, aplicados con generosidad—. Supongo que será mejor que nos preparemos o que empecemos a lamentarnos, o a hacer lo que sea que hace la gente cuando muere alguien. Sheriff, ¿querría llevarnos ahora hasta Summerstone?

Durante el trayecto de vuelta al pie de la montaña, los niños intuían que algo andaba mal, pero no podían acabar de imaginar lo que había sucedido. Theo miraba con atención a Mrs. Wellington y a Schmidty, y percibía la expresión de verdadera agonía que había en sus rostros. Por terrible que hubiera sido ver a Macarrones vestido con tutú, el niño sabía que Schmidty no podía sentirse tan torturado por algo tan tonto. En cuanto a Mrs. Wellington... vale, le habían prohibido la entrada a todo concurso cosmético canino, pero siempre podía organizar uno ella misma. No, tenía que ser otra cosa, pensó Theo mientras la furgoneta se detenía en la base de la montaña. Los cinco alumnos, Macarrones, Schmidty y Mrs. Wellington subieron en silencio al TVS. No fue hasta que el grupo llegó a la imponente puerta principal de Summerstone cuando por fin alguien dijo algo:

—Lo siento, pero ¿os importaría muchísimo que esperara aquí fuera mientras vosotros intentáis acorralar a las arañas y los milpiés? —preguntó Madeleine—. Y, por favor, tened los ojos bien abiertos por si veis alguna clase de cruce entre especies. Estoy bastante segura de que ya se ha producido.

—A nadie le importa lo más mínimo —dijo Mrs. Wellington con amabilidad—, aunque yo me retiraré ya por esta noche, así que os dejo a vosotros solos. Schmidty, confío en que podrás ocuparte tú de todo después de mi marcha.

—Desde luego, señora.

—Supongo que eso es algo bueno: no tendrás que seguir llamándome «señora».

—Oh, no, yo siempre la llamaré «señora». Nuestra relación no podría existir sin una rígida jerarquía.

—Cuánta verdad, querido viejo, cuánta verdad —dijo Mrs. Wellington con docilidad antes de entrar en la mansión.

—Caray, sí que la ha dejado deprimida que la hayan echado de ese concurso de belleza —dijo Garrison, sacudiendo la cabeza con asombro—. No tenía ni idea de que unos perros disfrazados pudieran ser tan importantes para nadie.

—Yo no lo tengo tan claro. ¿De verdad es eso lo que sucede? —le preguntó Lulu a Schmidty con gran sagacidad, notando que allí había algo más escondido.

—No, me temo que no tiene nada que ver con eso. Por desgracia, parece ser que en ese concurso alguien de dentro le ha dado información sobre nuestra institución a una periodista, hasta detalles de las numerosas técnicas de Mrs. Wellington y, lo que quizá haya sido lo más perjudicial de todo, incluso sobre Abernathy. Ese reportaje será nuestro final.

—¡Esos idiotas de los Knapp! ¡Pienso secuestrar a Jeffrey solo para darles una lección! ¡Van a sentir mucho haberse metido con nosotros! —gritó Lulu.

—¡Eso! —exclamó Theo—. Y además lo vestiremos con ropa horrible. Será el hazmerreír de todos los parques de perros de Massachusetts.

—Lamento mucho informarles de que no han sido los Knapp. Según el sheriff, la periodista ha conseguido la información de uno de nuestros estudiantes. Y, aunque el artículo no menciona el nombre del alumno en cuestión, puesto que es menor de edad, sí que dice que viajaba con una hurona como mascota.

Dahlia bajó inmediatamente la mirada, avergonzada.

—Pero serás… pequeña sabandija despreciable, malvada, pestilente y rencorosa. —estalló Madeleine con ira—. Si no me aterrorizara entrar en esa casa, irrumpiría ahí dentro hecha una furia, ¡porque solo con verte me pongo enferma!

—¿Qué? ¡No, Mad Mad! No te enfades conmigo. Tú eres mi mejor amiga. No ha sido culpa mía. Ensalada me ha dicho que no pasaba nada por hablar con Sylvie, ¡porque ella también es mi mejor amiga! ¡Sylvie y Dada, amigas para siempre! Yo jamás lo habría hecho si Ensalada no me hubiese dicho que no pasaba nada. Créeme, por favor. Soy inocente. ¡Ha sido todo culpa de Ensalada!

—¡Es patético! Ni siquiera eres capaz de aceptar tu propio error y le echas la culpa a una hurona —le gritó Lulu a la niñita de traje pantalón.

—No, Lulu, por favor, entiéndeme. Sylvie es una de mis mejores amigas, igual que vosotros, chicos. Yo a mis mejores amigos no les oculto nada. Pensaba que eso era lo que hacían los mejores amigos. Pensaba que se daban la mano y que se contaban todos sus secretos.

—¿Sabes qué es lo más triste de todo esto? —preguntó Theo sin ninguna intención de que le contestaran—. Pues que estás obsesionadísima con ser la mejor amiga de todo el mundo y que en realidad no sabes ni un pimiento de la amistad. Ni siquiera eres buena amiga de tu hurona. Le echas a ella la culpa de todos tus comentarios maliciosos y de todos tus errores. No me cabe la menor duda de que, si hubieran dejado a Garrison, a Madeleine o a Lulu a solas con un periodista durante días, jamás habrían delatado a nadie, y muchísimo menos a Mrs. Wellington.

—He dicho que lo siento —masculló Dahlia.

—Me parece que lo mejor será que Ensalada y usted se vayan a su cuarto, Miss Dahlia. Los demás tenemos un montón de arañas que atrapar antes de que Miss Madeleine pueda irse a la cama —dijo Schmidty sin emoción alguna.

—¡Yo quiero ayudar!

—No queremos tu ayuda —le respondió Garrison con contundencia—. No queremos nada que tenga la menor relación contigo.

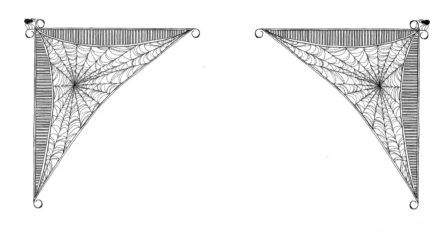

CAPÍTULO 20

TODO EL MUNDO TIENE MIEDO DE ALGO:
la enosiofobia es el miedo
de la crítica.

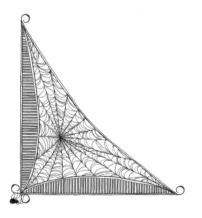

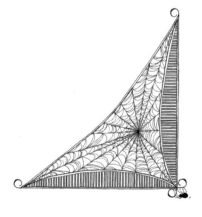

Dahlia entró en el vestíbulo de Summerstone con expresión estoica, conteniendo exteriormente sus sentimientos. La niñita apenas había llegado a la escalera cuando empezaron a temblarle las piernas. Enseguida sintió una rigidez en el pecho y notó que apenas si podía respirar. Unas lágrimas empezaron a caer por sus mejillas mientras iba subiendo los escalones a desgana. En cada escalón, Dahlia luchaba contra el abrumador impulso de salir corriendo fuera e implorar la compasión de los demás. No podía explicar por qué, pero su instinto siempre le había dicho que huyera cuando se quedaba sola. Era esa sensación de pánico la que le hacía buscar siempre compañía.

Dahlia reconocía que no había ninguna razón lógica para tener miedo a quedarse sola; sin embargo, esa experiencia siempre le había dado pavor. Su cabecita iba a mil por hora, las emociones la embargaban y dejaban poco espacio para la lógica. A punto estuvo de dar media vuelta y correr hacia la puerta, pero se detuvo en seco. Dahlia sabía que la obligarían a regresar, y no podría soportar subir esos escalones sola otra vez. Es más, ver la crítica en las expresiones de sus compañeros de clase no haría más que alimentar la sensación de culpa que ya la abrumaba, igual que la vergüenza que sentía por toda aquella situación.

Sola en su habitación, la niña se acurrucó junto a Ensalada y se echó a llorar. Nunca se había sentido tan pequeña y tan insignificante como en esa cama. El mundo parecía un lugar frío y solitario, y lo peor era que se lo había buscado ella. Curiosamente, después de dejar empapados en lágrimas tanto el almohadón como a su hurona, Dahlia empezó a pensar con claridad por primera vez desde que había llegado a la Escuela de Mrs. Wellington.

La verdad es que no sabía mucho de los demás niños, y ellos tampoco sabían casi nada de ella. Nadie le había hecho ninguna pregunta y, por mucho que le hubiese gustado echarles la culpa a ellos por no ser simpáticos, sabía que eso no era verdad. Dahlia no había dejado que surgiera ninguna conversación normal, una en la que les pudiera haber explicado cosas de su infancia en Kansas City o de sus veranos en Bombay con su abuela. Oh, sí, Dahlia pensaba que una charla tan espontánea habría sido divina. Abrumada de repente por las historias que le hubiera gustado compartir con los demás, la niña se puso a llorar con más ganas aún. Sin embargo, por muy intensas que fueran sus lágrimas, se esforzó mucho por llorar lo más bajito posible. Después de todo lo que había hecho ese día, no quería molestar más a nadie.

En el piso de abajo, Madeleine seguía en la entrada, moviéndose como una histérica de aquí para allá, sacudiendo brazos y piernas con desenfreno. Estaba segura de que sentía los pasitos hormigueantes de un sinfín de insectos y arañas por todo su cuerpo. Que estuviera tan preocupada por los bichos en absoluto quería decir que no le importara la desgracia de Mrs. Wellington. Todo lo contrario: Madeleine sentía un pozo sin fondo de desdicha en el estómago a causa de la anciana, pero también reconocía que no podía hacer como si el ejército de arañas y milpiés que ocupaba Summerstone no existiera.

—Siento cómo me corren por todas partes. Es una auténtica tortura —dijo la pobre con la voz entrecortada.

—Miss Madeleine —repuso Schmidty—, es espantoso verla tan angustiada. Me parece que tenemos algunos sprays de repelente guardados para casos de emergencia. ¿A lo mejor le gustaría esperar aquí mientras los busco?

—¡Ay, sí! Eso sería estupendo. Es usted un hombre encantador. Gracias —respondió la niña mientras Schmidty entraba en la mansión.

—Chicos, esto empieza a preocuparme —dijo Garrison mientras se apartaba unos rizos rubios de su bronceada cara.

—¡Oh, no! ¿También tú los tienes encima? —chilló Madeleine.

—No, Maddie, y tú tampoco tienes nada encima. Son solo imaginaciones tuyas, te lo prometo —dijo Garrison, bajando la mirada al suelo—. Sé que está mal, porque se supone que a los surfistas nos va todo eso de la paz y el perdón, pero estoy más que enfadado con esa mocosa. Ni siquiera puedo pronunciar su nombre, estoy tan furioso que…

—No seas tan duro contigo mismo: eres un falso surfista, no un falso budista. No tiene por qué caerte bien todo el mundo —repuso Lulu.

—Pues el budismo entra sin lugar a dudas en la lista de religiones que yo podría adoptar —masculló Theo para sí.

—Esto es muy injusto. Mrs. Wellington no se lo merece —añadió Lulu con un suspiro—, y nosotros tampoco. Si la escuela queda al descubierto, ¿qué pasará con nosotros? ¿Quién nos ayudará? ¿Cómo ha podido causar tantísimos problemas una bocazas de diez años? Estoy tan enfadada que hasta podría llorar. Y los Punchalower no lloramos… ni siquiera en los entierros.

—Pues los Bartholomew sí que lloramos. Bueno, técnicamente, mi madre y mi padre no, y tampoco ninguno de mis hermanos y hermanas, pero yo sí —dijo Theo, posando una mano en el hombro de Lulu—. A lo mejor no es para tanto. A lo mejor cuando se publique ese artículo los antiguos alumnos saldrán en defensa de la escuela y le explicarán a esa periodista lo mucho que los ayudó Mrs. Wellington, y entonces ella podría escribir otro artículo y nadie se acordará siquiera de Abernathy.

—Con sinceridad, no creo que sirva de mucho que antiguos alumnos salgan en defensa de la escuela —dijo Madeleine mientras seguía rociando repelente a su alrededor—. Si sabes que Mrs. Wellington ayudó a que un alumno se convirtiera en un chiflado morador de los bosques, ¿le confiarías a tu hijo?

—Bueno, mis padres a lo mejor sí, aunque a mí tampoco es que me adoren precisamente… —masculló Lulu—. Mrs. Wellington está como un cencerro, de acuerdo, pero no sé cómo, en contra de toda lógica y sentido común, consigue ayudar a la gente. Lo cierto es que es uno de los grandes misterios de la vida.

—¿Y ya está? ¿Eso es lo que quedará de Mrs. Wellington para la posteridad? La loca de la colina que convirtió a un hombre en un habitante de los bosques antisocial. Ah, sí, y que siempre llevaba el maquillaje a juego con la ropa. No. Eso no está bien. No pienso aceptarlo —dijo Theo. Se detuvo a tocarse la barriga—. Aquí está pasando algo muy espeluznante. Siento cómo mi activista interior quiere salir fuera.

—¿Por qué tienes que hacer que parezca que te va a salir un alienígena del estómago solo porque tienes ganas de ayudar a alguien? —preguntó Lulu, poniéndole ojos de exasperación al teatrero jovencito.

—Yo no creo en los alienígenas, Lulu, ya lo sabes. Se trata de un nuevo personaje: el hombre que no solo se niega a aceptar las cosas como son, sino que las cambia, y me parece que merece que le pongamos un nuevo nombre. ¿Qué os parece Adán el Activista?

—Estás empezando a sonar como si tuvieras personalidad múltiple.

—Objeción aceptada, Lulu, lo dejaremos en Theo el Activista. Y esto es lo que se le ha ocurrido a Theo el Activista: ¿por qué no reunimos a un grupo de nuevos alumnos y elaboramos una crónica de cómo los cura Mrs. Wellington? Será como un documental y yo lo presentaré al estilo Michael Moore. Presentar es algo que siempre he querido probar, así que eso me permitiría matar dos pájaros de un tiro. Y lo digo metafóricamente, porque, como sabéis, yo jamás mataría un pájaro, y mucho menos de un tiro.

—Lo siento, Theo, pero me parece que tu debut nacional tendrá que esperar —interpuso Garrison.

—Sinceramente, Theo, ¿es que no nos estabas escuchando? —preguntó Madeleine—. En cuanto hayan leído ese reportaje, ningún padre en su sano juicio enviará a sus hijos a la Escuela de Mrs. Wellington. Está claro que no conseguiremos engatusar a ningún mochales para tu documental.

—«Mochales» sería un nombre genial para una chocolatina. Cacahuetes, nueces, pacanas… todo recubierto de caramelo y chocolate. Por Navidad podrían sacar una barrita especial de macadamia o avellana… «Mochales navideño; mejor que la cocina de diseño.» Habría que trabajar un poco más en el eslogan, pero ya pilláis la idea…

Lulu y Madeleine se habían quedado mirando a Theo boquiabiertas cuando de pronto Garrison empezó a dar victoriosos puñetazos en el aire.

—Puede que buscar nuevos alumnos no sea una buena idea, pero ¿qué os parece hacerle una visita a uno antiguo?

CAPÍTULO 21

TODO EL MUNDO TIENE MIEDO DE ALGO:
la novercafobia es el miedo
a las madrastras.

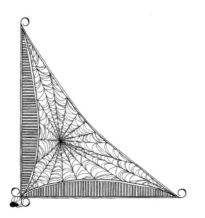
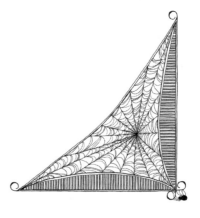

Repelente en mano, Madeleine se dedicó a formar una nube tan densa que al final apenas lograba distinguir a Garrison, sentado a tan solo un metro de ella. Poco le importaba acabar prácticamente bañada en productos químicos y disolventes perjudiciales. Madeleine solo podía concentrarse en una única cosa… o más bien en dos: arañas y milpiés. Si tenía que volver a entrar en la guarida del horror (como había empezado a llamar a Summerstone mentalmente), tenía que adoptar ciertas precauciones. Aquello no se parecía en nada a ninguna situación que hubiera vivido antes: sabía con toda certeza que en la casa había arañas y milpiés, y montones de ellos, para colmo.

Mientras la niña seguía preocupada por los bichos, Garrison siguió explicando su plan:

—Tenemos que hacer volver a Abernathy. El artículo no se publicará hasta final de mes, así que, si conseguimos traerlo aquí y ponerlo camino de la rehabilitación, podríamos acabar con el reportaje de esa mujer… y a lo mejor ni siquiera lo publicaría. O, aunque lo hiciera, no tendría tanta repercusión.

—Espero de verdad que exista algún otro Abernathy en el mundo, porque yo no pienso acercarme a ese zumbado de los bosques —dijo Theo, diciendo que no con la cabeza—. Yo en realidad creo que deberíamos enviarlo a uno de esos programas de cambio de imagen y que le quiten el musgo de debajo de las uñas y esas cosas. A lo mejor después de eso sí que podríamos pasar algo de tiempo juntos, pero, a ser posible, mejor no en el bosque.

—¡Eres un egoísta! —gritó Lulu—. ¿Qué ha pasado con Theo el Activista? No piensas más que en ti mismo. ¿Qué es lo mejor para ti? ¿Qué es lo más fácil para ti? ¿Cuándo vas a volver a comer? Y lo peor de todo es que quieres hacerte pasar por un hombre afable, emotivo y sensible. ¡Un hombre!… Pero si no eres más que un niño pequeño, asustado y egocéntrico.

Theo se quedó mirando a Lulu mientras Garrison y Madeleine miraban hacia otro lado por miedo a que el niño pudiera sufrir una combustión espontánea o ahogarse en un ataque de histerismo. Pero no lo hizo. En lugar de eso, respiró hondo, respiró hondo y muy, muy despacio. Tanto lo alargó, de hecho, que resultó bastante poco creíble que aquello fuera una sola respiración. Pero así era Theo, siempre intentando exagerarlo todo. Después de aquella inhalación de dos minutos, antinatural y casi del todo imposible, el niño bajó la mirada hasta su banda de vigilante. La acarició y se la pasó por la cara con suavidad, aunque no para enjugarse las lágrimas.

—Tienes razón, Lulu —dijo Theo despacio, con una voz increíblemente calmada—. Estaba siendo egoísta e inmaduro, algo muy poco propio de un vigilante de pasillos, y lo siento muchísimo. Me hago del todo responsable de mi comportamiento, porque eso es lo que debería hacer un «hombre».

—Vaya, gracias, Theo —contestó Lulu con una sonrisa de satisfacción—. Estoy muy sorprendida, e incluso algo impresionada.

—Bueno, me pasa a menudo: impresiono a la gente —dijo Theo, encogiéndose de hombros—. Además, quisiera recordarte que, a la edad de trece años, en muchas culturas ya se me consideraría un hombre, así que la próxima vez que me eches un rapapolvo podrías decir simplemente que soy un «hombre inmaduro», en lugar de un «niño».

—Si quieres que te trate como a un hombre, tendrás que actuar en consecuencia. Ayúdanos a conseguir que Abernathy suba aquí arriba e ingrese de nuevo en la Escuela de Mrs. Wellington.

—No es por interrumpir —intervino Madeleine con educación—, pero ni siquiera sabemos qué fobia tiene, o si es solo una. Por lo que sabemos, Abernathy podría tener cientos de fobias. Además, ¿exactamente cómo habéis pensado convencerlo para que salga del bosque? ¿O es que queréis que seamos nosotros los que entremos allí?

—Vale, nadie va a entrar en el bosque —dijo Garrison con voz autoritaria—. Perdiéndonos y desapareciendo los cuatro entre las enredaderas no ayudaremos a Mrs. Wellington. Si bajamos, apuesto a que Abernathy se acercará hasta la linde para observarnos igual que hizo el verano pasado. A partir de ahí, tenemos que pensar en cómo convencerlo para que suba a Summerstone y vuelva a ser alumno de la escuela.

—Yo digo que empecemos con un plato de sándwiches y luego pasemos a un tiramisú, porque ya sabéis que los repartidores de comida a domicilio no llegan al bosque.

—No es que me oponga a llevarle un sándwich, o galletas, o dulces, pero es bastante imprescindible que contemos con algún plan algo más elaborado que llevarle comida. A lo mejor podríamos consultarlo con Schmidty. Cuanta más información tengamos sobre Abernathy, más fácil nos será comprender lo que sucedió entre Mrs. Wellington y él —repuso Madeleine, muy perspicaz.

—Estoy de acuerdo —dijeron Lulu y Garrison al unísono.

—Pero de todas formas llevaremos comida, ¿verdad?

—Sí, Lorzas, llevaremos comida —contestó Lulu justo en el momento en que Schmidty salía de la casa con una bandeja de queso, galletitas saladas y fruta.

—Me temo que será una cena fría y bastante frugal, niños, pero es que no me quedan energías para encender los fogones.

—Sí, sí, desde luego —asintió Madeleine con dulzura—. Pero, Schmidty, ¿le importaría sentarse aquí con nosotros un momento? Nos gustaría muchísimo hacerle unas preguntas.

—Pregunte a discreción, por favor, Miss Madeleine.

—Supongo que no hay ninguna forma delicada de decir esto, así que lo voy a soltar tal cual: para empezar, ¿por qué vino Abernathy a la Escuela de Mrs. Wellington?

Schmidty se retocó con nerviosismo su caracola de pelo antes de responder:

—Abernathy era un caso espantoso, puede que el peor caso de novercafobia de la historia. —El anciano hizo una pausa para ver si eso les decía algo a los niños—. Tenía miedo a las madrastras.

—Eso parece salido de un cuento de hadas —comentó Theo mientras los demás le dirigían una mirada interrogante—. *Cenicienta*. ¿Es que ya nadie lee? Estoy empezando a sentirme como el último erudito que queda en pie.

—Estoy bastante segura de que ahora mismo estás sentado, y es más que evidente que no eres ningún erudito... —aclaró Lulu.

—Fue mucho más triste y desafortunado que cualquier cuento de hadas que yo haya leído y, como saben ustedes, no hubo final feliz para ninguno de sus protagonistas.

—Detesto presionarlo, Schmidty, pero tenemos un plan para ayudar a Mrs. Wellington y nos hace falta saberlo todo. Para que ese plan tenga la más ínfima posibilidad de salir bien, tenemos que saber absolutamente todo lo que sucedió entre Mrs. Wellington y Abernathy —dijo Madeleine con firmeza.

—Bueno, no estoy seguro de que sea el más adecuado para hablar de otro alumno con ustedes, sobre todo tratándose de un caso tan delicado. La señora ya está destrozada; detestaría que creyera que he traicionado su confianza y la de Abernathy.

—Oiga, Schmidty, tiene que ser un poco más realista. El nombre de Mrs. Wellington va a verse arrastrado por el fango, quedará totalmente destruido. Por muy falso que sea el contenido de ese artículo, parecerá creíble a causa de Abernathy. A menos que hagamos algo, ¡será el fin de la escuela! ¡Se acabó! ¡Cerrará! —expuso Garrison acaloradamente.

Esas palabras consiguieron que el conserje se sentara.

—Sí, ya lo sé —dijo el hombre, desanimado.

—Estamos intentando ayudar a Mrs. Wellington, y a usted también, pero necesitamos información —prosiguió Garrison en un tono algo más amable.

—Es una intentona a la desesperada, Schmidty, pero tenemos que probarlo. Queremos probarlo —añadió Lulu—, por ustedes y por nosotros. Sin la Escuela de Mrs. Wellington, ¿quién va a ayudarnos?

—Está bien, los ayudaré, pero, primero, ¿puedo preguntar cuál es el plan?

—Conseguiremos que Abernathy vuelva a la escuela para que Mrs. Wellington pueda ayudarlo a mejorar antes de que se publique ese artículo. Si Abernathy ya no vive en el bosque, el reportaje no causará ni la mitad de sensación, así que a lo mejor la periodista prefiere cancelarlo todo —explicó Garrison—. Y antes de que se le pase por la cabeza siquiera: no, no pensamos entrar en el bosque. Estamos bastante seguros de que Abernathy se acercará a la linde para observarnos, igual que hizo el verano pasado.

—Como en el bosque no tiene tele, seguro que piensa que somos una especie de *reality show* —murmuró Theo.

—Niños, me parece que son ustedes terriblemente amables al intentar ayudar a la señora. Yo también estoy muy conmovido, pero debo decirles que su idea no dará resultado. Abernathy no volverá a la escuela, eso puedo asegurárselo.

—¿Cómo puede estar tan seguro? —preguntó Lulu, molesta—. ¿Ni siquiera se anima a probarlo? ¿Es que ya se ha rendido?

—Schmidty, estamos hablando de su señora. La mujer a la que adora día y noche sin pausa como si fuera de su propia sangre. ¿Cómo puede rendirse tan fácilmente? —preguntó Garrison, apartándose los rizos rubios de la cara con frustración.

—Ay, tenga por seguro que no ha sido «fácilmente», Mr. Garrison. Llevo décadas intentando convencer a Abernathy para que vuelva, animando a la señora para que haga las cosas bien con él, pero nunca funciona. Es una causa perdida y no hay absolutamente nada que hacer. Es una lección terrible sobre la cruda realidad de la vida, pero me temo que no todos los males tienen remedio, por mucho empeño que pongamos en solucionarlos.

—Schmidty, no logro comprender nada de todo esto, y se supone que yo soy una barbaridad de lista. Por favor, tiene que explicarnos toda la historia desde el principio. Tenemos que comprender por qué cree que hay tan pocas probabilidades de conseguirlo —imploró Madeleine.

—Sí, supongo que tienen que comprenderlo. Todo empezó cuando la madre de Abernathy murió poco antes de que él cumpliera dos años. Como era hijo único, cada vez se fue uniendo más a su padre y acabó dependiendo mucho de él emocionalmente. Abernathy adoraba a ese hombre. Los dos eran inseparables. Al niño nunca se le pasó por la cabeza siquiera que esa situación pudiera cambiar algún día. No fue hasta que empezó a ir al colegio cuando se enteró de que los viudos a menudo volvían a casarse.

»Comenzó entonces a sentirse amenazado por una imaginaria mujer que pudiera quitarle a su padre, le aterrorizaba cualquier dama de la edad adecuada que hablara con él. El niño estaba completamente obsesionado. Las únicas mujeres de la edad de su padre a quienes le parecía aceptable invitar a una cena o una fiesta eran sus parientes directas. Y ya imaginan ustedes lo aburrida que se vuelve la vida cuando tus únicos amigos son tus parientes directos...

—Pero ¿su padre tenía algún deseo de volver a casarse? ¿Se dedicaba acaso a buscar a otra mujer? —preguntó Madeleine.

—Oh, no, al contrario. Le prometió a Abernathy que nunca se casaría otra vez, pero el niño seguía angustiado de todos modos. Incluso acabó sintiendo fobia por las madrastras de otros niños, lo cual le hizo terminar su amistad con todo aquel que tuviera una madrastra, e incluso con todo aquel a quien le cayeran bien las madrastras o hablara con alguna. Fue entonces cuando su padre decidió que tenía que hacer algo, pues se había convertido en un problema que le impedía vivir con normalidad. Caray, pero si el niño dejó incluso de ir a su clase de matemáticas cuando se enteró de que la mismísima Mrs. Elfin era madrastra. Y Mrs. Elfin era una mujer encantadora...

—¿Y entonces su padre lo trajo a la Escuela de Mrs. Wellington? —dijo Lulu, ayudando a Schmidty a seguir adelante para que no se quedara atascado con la historia.

—Sí, pero en aquel momento la Escuela de Mrs. Wellington tenía su sede en la ciudad de Nueva York. Desde luego, la Escuela de Mrs. Wellington no era el primer lugar al que acudía. El padre de Abernathy había recurrido a toda una serie de alternativas, como consejeros, hipnotizadores, chamanes. Probó incluso con una moda pasajera que se conoció como payasoterapia...

—Siento interrumpir, sobre todo porque Schmidty es muy lento explicando historias... lo cual, por cierto, no es un insulto, solo un comentario —dijo Theo, sonriendo sin darse cuenta—. Vale, Mrs. Wellington y usted dicen un montón de chifladuras, y yo casi siempre lo dejo correr. Pero en este caso no puedo hacerlo. No puedo seguir adelante con mi vida ni seguir escuchando su historia sin saber... ¿qué es la payasoterapia?

—Supongo que es usted demasiado joven para recordarlo. Fue terriblemente controvertida en su momento —explicó

Schmidty—. El Sindicato de Payasos y Mimos protestó ante la sede de los payasoterapeutas durante siete meses seguidos. Afirmaban que iba en detrimento de todos los demás payasos.

—Sí, pero ¿qué era? —insistió Theo.

—La payasoterapia se basaba en la premisa de que, si un payaso asustaba a un niño, si le daba un susto de muerte morrocotudo, el niño acabaría sintiendo una fobia tan enorme por los payasos que se olvidaría por completo de su otro miedo. Por razones bastante evidentes, no tuvo demasiado éxito. Sin embargo, resultó que uno de aquellos payasos había sido antiguo alumno de la señora, y fue el quien le habló al padre de Abernathy de una institución altamente secreta del Upper East Side, la Escuela de Mrs. Wellington.

—Vale, ya tenemos suficiente sobre la payasoterapia —dijo Lulu con impaciencia—. Necesitamos saber algo más de Abernathy.

—Sí, por favor, Schmidty —añadió Madeleine con una tensa sonrisa—. Se nos está haciendo tardísimo y, como sabréis, antes de acostarnos todavía tenemos que fumigar Summerstone, sin pero que valga.

—¿Ninguno de ustedes se ha preguntado nunca cómo se apellida Abernathy? —preguntó Schmidty, como lanzando una indirecta.

—Ese tipo vive en el bosque. Dudo mucho que se haga enjuagues bucales con regularidad —dijo Theo—, así que no creo use demasiado su apellido.

Schmidty se aclaró la garganta antes de decir:

—Abernathy Wellington.

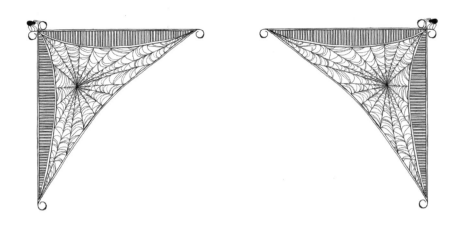

CAPÍTULO 22

Todo el mundo tiene miedo de algo:
la hilofobia es el miedo
de los bosques.

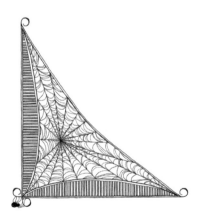

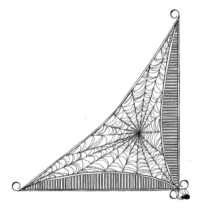

Madeleine, Lulu, Garrison y Theo no dijeron ni una palabra. Ni siquiera fueron capaces de asentir, caray... Simplemente esperaron a ver cómo seguía la historia. Aquello había resultado toda una revelación y necesitaban tiempo para procesar lo que implicaba para su plan. Compasión, confusión y muchas otras cosas se les pasaron por la cabeza a los niños mientras imaginaban cómo sería la vida con Mrs. Wellington de madrastra. Y es que, en realidad, a todos ellos les había costado lo suyo llegar a apreciar a la mujer como profesora.

Schmidty continuó con su relato:

—El amor a primera vista es un acontecimiento maravilloso y mágico, pero en este caso también llegó cargado de dolor y desgracia. La primera vez que la señora vio a Harold y que Harold vio a la señora, los dos lo supieron. Fue como si los

225

atropellara un camión en plena autopista: los arrolló. Desde luego, puesto que Mrs. Wellington era la profesora de Abernathy, ambos lucharon con uñas y dientes contra sus sentimientos. Pero luchar contra el amor solo lo hace más fuerte, y este florecía con cada mirada de reojo, con cada roce de sus manos. Por aquella época, Abernathy había llegado a hacer progresos bajo la tutela de Mrs. Wellington… es decir, de Miss Hesterfield, pues ese era su nombre entonces. El niño volvió incluso a asistir a las clases de Mrs. Elfin; fue un cambio absolutamente milagroso.

»La señora y el padre de Abernathy estaban tan asombrados con la transformación que ambos juraron que jamás darían alas al amor que sentían el uno por el otro, por el bien del pequeño. Esta promesa, entre muchas otras, la pusieron por escrito en las cartas que los dos se enviaban. Sin embargo, como digo yo siempre, si pones algo por escrito, seguro que alguien lo lee, y eso fue precisamente lo que hizo Abernathy. Resultó que la carta que fue a parar a sus manos era, bueno, la más romántica de todas ellas, llena de cosas como las que salen en las películas, un amor al que no podía ponerse freno pero que jamás podría verse realizado…

—¿Y qué pasó entonces? —preguntó Madeleine con el mismo entusiasmo que había sentido la primera vez que leyó *Orgullo y prejuicio*.

—El niño estalló, perdió los papeles. Y en ese momento los dos decidieron que lo mejor era casarse. Puesto que Abernathy ya lo sabía todo y el mal ya estaba hecho, decidieron que debían casarse y solucionar aquella situación en familia, no como una simple asignatura escolar. Aunque el plan tenía muy buenas intenciones, no dio muy buen resultado. Abernathy no hacía más que escaparse y acabar en los barrios más peligrosos de la ciudad, se subía solo a los autobuses, acababa comiendo solo en la barra de cualquier bar. La señora y Harold llegaron a la conclusión de que al niño le iría bien tener un refugio en el campo, un lugar al que pudiera escapar y por el que pudiera correr sin ningún peligro, así que construyeron Summerstone.

—¿Sirvió de algo? —preguntó Garrison, intrigado—. ¿Se tranquilizó un poco?

—La verdad es que no. No llegó a pasar ni una sola noche en la casa. No quería estar bajo el mismo techo que su padre y su madrastra… se negaba a ello… así que pasaba gran parte del tiempo corriendo como un salvaje por la propiedad, y dormía en los árboles y en los arriates de flores. En aquella época, la Escuela de Mrs. Wellington seguía estando en la ciudad, pero la señora y Harold venían todos los fines de semana a Summerstone, donde trabajaban sin descanso para conseguir ganarse a Abernathy.

—Espere. ¿Lo dejaban solo en Summerstone siendo un niño? —preguntó Lulu.

—Por aquel entonces ya era un adolescente, y tenía un cuidador (un servidor) y un tutor.

—¿Quién era el tutor? —preguntó Theo.

—Un holandés muy peculiar, del cual también podría decir que no era muy inteligente, pero, claro, no es nada fácil encontrar a un tutor de primera que esté dispuesto a impartir clases en lo alto de un árbol. Sea como fuere, la señora seguía curando a un alumno tras otro, pero nunca consiguió ningún progreso con Abernathy. Y a medida que pasaban los años, cada vez lo intentaba menos. Fue el día antes del decimoctavo cumpleaños de Abernathy cuando Harold murió en el tren de camino aquí. El hombre se agarró el pecho, mencionó que ojalá le hubiese dado tiempo de ir a la peluquería a cortarse el pelo, y luego… ¡bum! Cayó muerto. En el funeral, Abernathy se sentó dos parcelas más allá, en la rama de un gran roble. Poca gente se dio cuenta de que estaba allí. Después de eso, desapareció. De vez en cuando alguien lo avistaba en algún parque nacional o algún bosque. Al final, la señora trasladó la escuela a Summerstone, y nos pareció verlo rondando por el bosque puede que unas dos veces, pero nunca pudimos estar seguros. Había pasado mucho tiempo y él había madurado muy mal. Después, el verano pasado, se instaló definitivamente en el Bosque Perdido y, bueno, ya conocen el resto de la historia.

—¿Cómo sobrevive? ¿Qué come? ¿Cómo consigue dinero? —preguntó Garrison.

—No tenemos ni la menor idea —confesó Schmidty—. Niños, no les impediré que salgan mañana, puesto que me parece lo más bonito y lo más maravilloso que nadie ha intentado hacer nunca por la señora. Sin embargo, debo pedirles que a ella no le digan ni una palabra al respecto. Ya que es harto improbable que tengan ustedes éxito, no soportaría la idea de apenarla más aún.

—Desde luego, Schmidty —dijo Lulu—. No diremos ni una palabra.

—Ahora debo retirarme; el día de hoy me ha pasado factura. Espero que lo entienda, Miss Madeleine, si bien desearía estar disponible para acorralar arañas y milpiés, los acontecimientos del día me han dejado demasiado exhausto.

—Lo entiendo perfectísimamente, Schmidty. Y muchas gracias por compartir esa historia con nosotros. Nos esforzaremos cuanto sea necesario por conseguir que Abernathy vuelva a casa mañana —prometió la niña con una sonrisa. Entonces se puso roja y bajó la mirada—. Ah, y, Schmidty, en caso de que recordara más detalles sobre las cartas de amor de Mr. y Mrs. Wellington, siéntase con toda la libertad del mundo para compartirlos conmigo… siempre que no sean inapropiados, desde luego.

—Por favor, Madeleine —intervino Theo, sacudiendo la cabeza—. ¿Es que no tenéis ningún canal de chismorreo en Londres?

—Ay, Theo —soltó ella, malhumorada—, tu idea del romanticismo es un sándwich de queso y unas patatas fritas.

El niño no se lo discutió. En realidad, él preferiría un sándwich a cualquier otra cosa… salvo a las medidas de seguridad, desde luego.

—Buenas noches, niños. Los veré mañana por la mañana a primera hora. —Y, dicho eso, el anciano se alejó balanceándose.

Con la marcha de Schmidty, el cerebro de Madeleine (reblandecido por el romanticismo) regresó de golpe y porrazo a la realidad y la niña empezó a bañarse de nuevo en repelente. Roció, roció, roció y roció hasta quedar literalmente empapada.

—Maddie, me estoy muriendo —protestó Garrison—. En serio, estoy empezando a tener asma de tanto sentarme a tu lado.

—No bromees con el asma, Garrison —dijo Theo con aspereza—. Es una enfermedad muy grave, y te lo digo yo. Mi gato la padece; tiene un pequeño inhalador para felinos y todo.

—Ya basta de asma y de tu gato —exclamó Lulu—. Lo que Garrison quería decir es que Maddie tiene que dejar de pulverizarnos con ese spray. Es demasiado. Hasta tiene charcos de repelente en los pies.

—Ahí dentro hay un centenar de enormes arañas marrones y malva, y otro centenar de milpiés. No puedo arriesgarme. Mi única esperanza es exudar repelente por todos los poros. Hacía casi un año que no me rociaba. Mi organismo ya no posee las altas concentraciones de antaño. ¿Es que no veis a lo que me estoy enfrentando? ¡Se trata de un ejército de bichos repugnantes!

—No te preocupes, Madeleine, está clarísimo que vamos a atraparlos a todos —dijo Lulu—. Vamos, que Summerstone tampoco es tan grande…

—Además, solo hay noventa y nueve arañas, porque una ya te la aplastaste en la frente, ¿recuerdas?

—Sí, Theo, claro que lo recuerdo… lo recuerdo muy vívidamente, de hecho —replicó Madeleine mientras sentía un escalofrío por toda la espalda.

—Yo también. Esa marca tenía tantos detalles que era como si llevaras una fotografía en la frente. Todos esos pelitos de las patas de la araña, los extraños bultos, los ojos… se podía ver todo —explicó Theo con parsimonia.

—Theo, que te calles —protestó Lulu, sacudiendo la cabeza en señal de advertencia.

—Sí, seguramente es buena idea.

En cuanto el niño cerró la boca, una Madeleine de rostro sudoroso se inclinó hacia su izquierda y vomitó.

—Ay, madre mía. Qué vergüenza. Ha debido de ser espantoso para vosotros. Os aseguro que me habría apartado si me hubiera dado tiempo… —Madeleine se quedó sin voz y con los mofletes colorados.

—Maddie, no ha sido culpa tuya. Ni siquiera ha sido culpa mía. Está claro que Lulu tendría que haberme hecho callar antes —dijo Theo, con actitud crítica, mientras el grupo se apartaba de aquella peste.

—No te metas conmigo, Gordales. Estoy cansada, tengo hambre y estamos muy cerquita de un precipicio.

—Vale, ya lo pillo —respondió Theo en voz baja.

—Gracias a los cielos que no has recaído mucho, Maddie. Imagina si te hubieras vuelto loca otra vez como el año pasado… —dijo Lulu con sarcasmo, mirando cómo se las tenía la niña con su gorro de ducha y su velo.

—En serio, Lulu, a veces puedes ser un poco bruta. ¿Tengo que recordarte que tampoco tú subes sola en los ascensores, y que a veces incluso finges ir al lavabo para engañar a tus padres?

—Supongo que me está bien empleado. De acuerdo, lo siento —se disculpó Lulu, bajando la mirada.

—Todo esto es horrible. Francamente, no puedo entender cómo he llegado a esta situación. ¿Cómo narices me ha pasado esto a mí? —exclamó Madeleine en forma de pregunta retórica.

—Dahlia, los Knapp, la mala suerte… solo eso lo explica ya casi todo —dijo Theo, y entonces se detuvo y se puso una mano en el pecho—. Creo que me está repitiendo el queso. ¿Le pasa a alguien más?

Todo el mundo se lo quedó mirando sin saber muy bien cómo había conseguido llevar la conversación por esos derroteros.

—Maddie, la buena noticia es que Schmidty ya ha cazado catorce milpiés y diecisiete arañas —explicó Garrison para distraer a la niña.

—¡Ay, qué bien! ¿Los ha matado? ¿Está del todo seguro de que han fallecido?

—Ha vuelto a meterlos en sus tarros y ha comprobado tres veces que las tapas estuvieran bien cerradas.

—Muy bien —dijo Madeleine con cierta decepción—. Aunque no puedo prometer ser tan compasiva si me cruzo con alguno a tan poca distancia como para usar un spray.

—De acuerdo —contestó Garrison, asintiendo—. Entonces, ¿estamos listos?

—¿No deberíamos realizar antes unos cuantos estiramientos? —preguntó Theo—. ¿O quizá un poco de precalentamiento? ¿Discutimos técnicas de caza?

—Theo, esto no son los juegos olímpicos. No va a ser tan agotador ni tan complicado. Si ves una araña o un milpiés, lo metes en un botecito y luego lo llevas de vuelta al cuarto de M&M's y lo anotas en la cuenta —dijo Garrison.

—Vaya, esperaba más de ti, Garrison. Pensaba que los capitanes de equipo eran famosos por sus arengas a los compañeros. No me extraña que este año no consiguierais llevaros nada en baloncesto. ¿Qué les decías a los del equipo: «Eh, no es más que una pelota, a ver si la metéis en el aro»? —dijo Theo con una aguda voz femenina.

—En primer lugar, yo no hablo así. ¿De verdad quieres una arenga? —espetó Garrison mientras su fastidio crecía exponencialmente—. ¡Pues vale! —dijo entonces, y se pasó los dedos por sus largos rizos rubios, cerrando los ojos. Cuando volvió a abrirlos, había aparecido un Garrison más tranquilo, más sereno y más comedido—. Esto es un reto, uno de los muchos a los que nos enfrentaremos durante las próximas veinticuatro horas. Pero cuando salgamos ahí fuera, ya sea para buscar bichos o para buscar a Abernathy, no podemos preocuparnos por nosotros mismos. No podemos pensar en nuestros propios sacrificios, porque esto lo hacemos por nuestras amigas, Madeleine y Mrs. Wellington. Atraparemos esas arañas y esos milpiés porque Madeleine necesita que lo hagamos. Lo haremos porque es nuestra amiga, y una muy buena amiga, además. No, retiro eso: es una amiga genial. Igual que Mrs. Wellington.

—Ha sido precioso, precioso de verdad. Me gustaría que pronunciaras el panegírico en mi funeral, en caso de que vivas más que yo —dijo Theo, secándose los ojos.

—Eso es muy macabro, Theo —replicó Lulu mientras echaba a andar hacia la enorme puerta—. Empecemos ya. No nos queda mucho tiempo si queremos dormir un poco antes de mañana.

Lulu entró en el vestíbulo en silencio, caminando de puntillas sobre los tablones de madera. Theo, que iba pegado a ella, avanzaba torpe y ruidosamente, al tiempo que iba tirando cosas con las manos.

—Theo, deja de hacer tanto ruido. Los espantarás —susurró Lulu.

—A lo mejor espantándolos los hago salir de su escondite. Lulu, no te preocupes por mí. Tengo mis planes. O, mejor dicho, un plan. Y todo el mundo sabe que lo único que se necesita es un buen plan. Yo ya tengo el mío: hacer algo de ruido, sacarlos de sus cómodos escondrijos y, entonces, ¡a por ellos! Pero sin matarlos. Eso no encaja conmigo y todo mi rollo vegetariano…

—¿Quieres dejar de hablar y empezar a cazar bichos? —dijo la niña mientras empujaba a Theo hacia el Gran Salón.

—Ya tengo una —anunció Garrison en voz alta mientras metía una enorme araña marrón y malva en su bote.

—Se me está revolviendo un poco el estómago —dijo Madeleine al ver a la gran criatura peluda—. A lo mejor debería esperar fuera con Macarrones. La verdad es que él y yo no hemos tenido tiempo de explicarnos nada —añadió mientras corría de vuelta a la puerta de entrada.

Garrison supuso que las arañas y los milpiés solo podían haberse colado en las habitaciones que estuvieran abiertas o en las que hubiera suficiente espacio entre el suelo y la parte baja de la puerta. Eso reducía la lista al salón de baile, la Biblioteca de Alimentos Apestosos, la cocina, el comedor, el campo de polo y los dormitorios. Lulu se ocupó del vestíbulo y el piso de arriba mientras Theo y Garrison empezaban por las salas que daban al Gran Salón.

Lulu era extraordinariamente rápida viendo y cazando milpiés. Como sabía que tenían debilidad por esconderse a la vista de todos, enseguida atrapó la pasmosa cantidad de veinticinco milpiés en las fotografías de concursos de belleza, casi todos posando como pendientes, horquillas o broches. (El mayor de sus descubrimientos fue un collar de dos vueltas compuesto por once bichejos.) Poco después, la niña descubrió otros diecinueve milpiés que formaban el marco de un pequeño cuadro, seis en el jersey de lunares preferido de Madeleine y otros ocho en las casillas negras de un ajedrez que había en la habitación de los niños. Era impresionante: Lulu había capturado un total de setenta y dos milpiés. Por desgracia, no tuvo tanta suerte con las arañas. Solamente pudo encontrar cuatro en el baño del pasillo del piso de arriba y tres en el vestíbulo.

Theo y Garrison empezaron por la cocina... por recomendación de Theo, algo nada sorprendente. Mientras Garrison miraba dentro de los armarios de color rosa y bajo los fogones magenta, Theo buscó en el interior de un pan de molde cortado y, ya que estaba, se comió dos rebanadas. Después del pan, se metió en la boca un puñado de galletitas saladas. No tardó en caerle una cascada de migas desde sus regordetes mofletes hasta la camisa.

—¿Quieres dejar de comer? Necesito ayuda —bramó Garrison.

—Perdona, Gary, pero te estoy ayudando. Podría haber encontrado milpiés o arañas en el pan o entre las galletitas. También se alimentan de hidratos de carbono, ¿sabes?

—¿Y cómo sabes que no te has comido ninguno sin darte cuenta? Vamos, que casi no estás masticando...

Theo dejó de masticar al instante. Quería escupir la comida, pero le preocupaba lo que podría encontrarse. No le daba miedo haberse comido una araña, puesto que eran demasiado grandes para no verlas, pero un milpiés era un asunto completamente diferente. Aquellos bichos eran lo bastante pequeños, y el niño imaginó que debían de crujir como una galletita. Con expresión de angustia, se tragó lo que tenía en la boca. Fuera lo que fuese lo que había ahí dentro, no quería saberlo.

—Sí, a lo mejor no era el momento más adecuado para un tentempié —convino un Theo con cara de tener el estómago revuelto.

—Vamos a mirar en el comedor —dijo Garrison mientras caminaba hacia la cortina de cuentas que separaba las dos estancias. Los milpiés habían formado una gran V colocándose sobre las cuentas, de manera que parecían un dibujo hecho a propósito.

—Lulu cree que son más listos que tú —dijo Garrison con una sonrisa torcida.

—Lo tomaré como un cumplido —respondió Theo, malhumorado. Entonces se quedó un momento callado—. Pensándolo mejor, ¡ni hablar!

Después de recorrer la Biblioteca de Alimentos Apestosos y el campo de polo, Theo y Garrison solo habían atrapado una araña. Sin embargo, consiguieron añadir ocho más a los dieciséis milpiés que habían encontrado en la cocina: los localizaron en los caballos, camuflados en sus ojos, en sus ollares, y hasta en las vergüenzas.

Cuando se dirigían al aula, los niños descubrieron una luz tenue que se veía por debajo de una puerta muy normalita que había al lado de la habitación de los hongos de Groenlandia. No era una puerta bonita, rara ni espantosa; era tan completamente normal que podría haberse encontrado en cualquier casa de Estados Unidos.

—Mira, hay una luz encendida… —dijo Garrison mientras se acercaba hacia aquella puerta, cosa que a Theo no le gustó nada.

—No nos entretengamos, ¿quieres? Estamos de patrulla antibichos y mañana nos toca Abernathy. Tenemos una agenda muy apretada y, tal como están las cosas, yo ya me siento un poco abrumado… ¡Eh, espera un momento! Pero ¿qué estás haciendo? —preguntó Theo con nerviosismo mientras Garrison abría la puerta sin hacer ruido.

—Tú quédate aquí —le susurró al niño.

—¡Ni hablar! ¡Tú y yo somos un equipo! ¡Somos Tharrison! ¡O Garreo!

—Nada de mezclar nombres —susurró Garrison mientras echaba a andar por un pasillo oscuro y con paredes revestidas de madera.

El pasillo en penumbra llevaba hasta una biblioteca con libros de verdad, una chimenea, una pared llena de trofeos y más fotografías de las que se podían contar. Había fotos enmarcadas de niños, adultos y familias por toda la habitación: encima de la chimenea y en su repisa, en la librería, en las mesas del fondo y colgadas de las paredes.

—¿Quién anda ahí? —preguntó Mrs. Wellington con voz autoritaria.

El alto respaldo de su sillón de cuero impedía que los chicos vieran a la anciana, y viceversa.

—Garrison y Theo —anunció Garrison inseguro, pensando que estaban a punto de meterse en un buen lío por fisgones.

—Alumnos de su escuela —añadió Theo con torpeza—. No pretendíamos entrometernos. Es solo que hemos visto que había una luz encendida mientras estábamos cazando bichos y, como no nos gusta malgastar electricidad, hemos entrado para apagarla. Así que, por favor, no se enfade. Creíamos que estábamos ayudando al medio ambiente… «No tengamos una agarrada por una lucecita de nada»… Acabo de inventarme el eslogan, no es mi mejor trabajo, pero me parece que ya se hace usted una idea —adujo el chico.

—Mirad todas esas caras, todas esas vidas a las que he ayudado. Es extraordinario, ¿verdad? Y, pronto, nada de esto importará —dijo Mrs. Wellington, interrumpiendo a Theo sin hacer el menor caso del hilo de la conversación.

—Eso no es verdad —repuso el niño—. Mire todos sus trofeos. Hablando en calidad de persona que nunca ha ganado ningún trofeo, sí que importan, te hacen importante... y eso nadie podrá arrebatárselo.

—Yo he ganado más trofeos de los que soy capaz de contar... —dijo Garrison antes de ver la envidia en la expresión de Theo—. Bueno, ¿y de dónde han salido todos estos?

—Solíamos competir contra otros colegios; escuelas de alguna especialidad, como la Academia de Mentirosillos, la Escuela del Silencio, el Instituto Extraño, el Conservatorio Contrario... Pero ahora ya casi no queda ninguno. La gente tiene demasiado miedo, demasiado miedo de que los descubran, de que publiquen mentiras sobre ellos, de que los demanden y los arruinen —dijo Mrs. Wellington mientras se levantaba y caminaba hacia los niños.

»Y cabe la posibilidad de que con motivo. El mundo ya no es lo que era.

—Vale, esto no va bien —murmuró Garrison.

—No, está claro que no, pero ya no queda nada que hacer, salvo quizá morir —dijo Mrs. Wellington mientras se acercaba a los niños—. Supongo que debería empezar a planificar mi funeral, escoger el vestido, prepararme la peluca, encontrar maquillaje a prueba de gusanos y, sobre todo, decorar el féretro. Había pensado en un exterior rosa con el forro interior en un tono lavanda. O quizá debiera decidirme por un ataúd de oro macizo. A fin de cuentas, solo se muere una vez...

—Mrs. Wellington, estaremos más que encantados de colaborar con la decoración de su féretro, pero ahora mismo tenemos un problema más urgente —balbució Theo mientras se alejaba de su profesora—. Mucho, mucho, muchísimo más urgente.

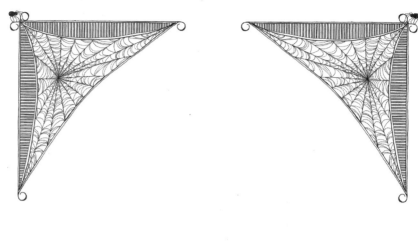

CAPÍTULO 23

TODO EL MUNDO TIENE MIEDO DE ALGO:
la oftalmofobia es el miedo
de ser observado.

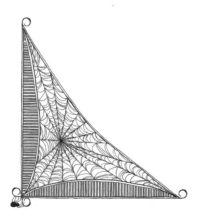

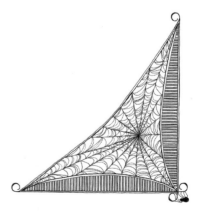

La pobre Mrs. Wellington, tan consternada y afligida, no se había dado cuenta de que el chal que llevaba puesto era en realidad un mantón hecho de arañas marrones y malva. Las arañas habían entrelazado sus patas unas con otras y habían creado un tejido de aspecto bastante sofisticado. En realidad fue una suerte, porque así, todas agrupadas, resultó facilísimo transportarlas hasta el cuarto de M&M's. Además, Mrs. Wellington casi no parecía darse cuenta de que había llevado encima una gran red de arañas, o no parecía importarle. La mujer estaba demasiado desconsolada por la situación de la escuela como para preocuparse por algo tan trivial. Una vez terminada esa maniobra, solo quedaban cuatro milpiés desaparecidos, y Theo estaba empezando a pensar que podía haberse comido al menos dos en sus ansias por tragarse esas galletitas saladas.

Después de un minucioso registro de la habitación de las niñas y el cuarto de baño, Madeleine consiguió quedarse por fin dormida, aunque con el gorro de ducha puesto, y también el velo y el poncho impermeable, además de un bote de repelente en cada mano. Lulu, no muy lejos de ella, no dejaba de sacudirse y dar vueltas en la cama a causa de unos sueños muy realistas de perros que bailaban claqué y cantaban tonadas televisivas. En la habitación de al lado, Theo se pasó casi toda la noche durmiendo con las manos en la barriga. Las contorsiones de su intestino bajo le dejaban pocas dudas al respecto de si se había comido uno o dos milpiés. En su mente danzaban imágenes de milpiés medio masticados que le roían las entrañas o, peor aún, procreaban ahí dentro.

El niño se moría de ganas de despertar a Garrison para que le soltara otra arenga, quizá una sobre cómo dejar de lado tu propia granja de insectos interior para ayudar a tu profesora, pero se contuvo. Su compañero dormía demasiado profundamente para despertarlo. Esa capacidad para conciliar el sueño antes de un día tan importante debía de ser consecuencia de años de participar en torneos deportivos, pensó Theo.

Al otro lado del pasillo, Dahlia se despertó en plena noche, confusa y desorientada. Se sentó en la cama y todos los recuerdos del día volvieron a ella de repente. El corazón le dio un vuelco y se le encogió el estómago al recordar los terribles acontecimientos que habían tenido lugar. Aunque le impresionaba haber sido capaz de quedarse dormida estando sola en una habitación, todavía se sentía invadida por un pánico galopante. En el absoluto silencio del dormitorio, estaba a solas con los palpitantes latidos de su corazón y los pensamientos que arreciaban en su mente.

¿Cómo sería su vida si estuviera siempre, siempre sola? ¿Se vería obligada a convivir con el horrible y asfixiante temor que sentía en aquellos momentos? La jovencita bajó de la cama de un salto y se puso otro traje pantalón, de color verde esta vez. Con las manos sudorosas, giró lentamente el pomo de la puerta de su cuarto. Dahlia escuchó con todas sus fuerzas para ver si lograba oír cualquier ruidito que procediera de sus compañeros. Solo necesitaba una pequeña prueba de que en realidad no estaba sola en la enorme mansión. Pero no oyó nada. A fin de cuentas, eran las cuatro de la madrugada. Se dejó resbalar hasta el suelo y esperó a que saliera el sol para buscar una confirmación de que los demás seguían allí.

Cuando Madeleine, Lulu, Garrison y Theo salieron de puntillas al pasillo a las siete menos cuarto de la mañana, Dahlia los espiaba a escondidas desde su habitación. Nada más ver a los demás, la embargó una sensación de dicha y seguridad, pero también sintió con más intensidad el distanciamiento que ella misma había provocado. La niña se coló en la cocina mientras los demás desayunaban y celebraban una reunión de estrategia de primerísima hora con Schmidty. Sin que la vieran, escuchó al grupo decidir que Macarrones no los acompañaría en la aventura de la búsqueda de Abernathy a causa de su aversión a sentir los adoquines bajo las patas. Además, los bulldogs no son famosos por sus habilidades comunicativas, así que todos convinieron en que lo mejor era dejarlo en Summerstone. Schmidty solo les puso una condición muy sencilla: no debían internarse en el bosque. Los alumnos solo podrían llamar a Abernathy gritando su nombre desde la linde y, si el hombre aparecía, suplicarle que subiera con ellos a la escuela.

—Ya saben ustedes que detesto ser negativo, la voz de la mala suerte y la desgracia —explicó Schmidty—, sobre todo porque me conmueve mucho lo que están haciendo por ayudar a la señora, pero sencillamente no quisiera que se sintieran decepcionados o responsables en caso de que Abernathy no vuelva con ustedes. Estamos hablando de un hombre que ha pasado gran parte de su vida solo, que ha vivido a la intemperie, apartado de la sociedad. No será el candidato más fácil de convencer.

—Pero Abernathy ya ha salido del bosque en otras ocasiones; podría hacerlo una vez más —repuso Garrison—. Tenemos que intentarlo. No podemos dejar que Mrs. Wellington se quede ahí sentada, esperando la muerte. Es una buena profesora, ha ayudado a muchísimas personas y, si pudiera ayudar a Abernathy, a lo mejor lograríamos impedir que se publicara ese artículo.

—Gary, no tenía ni idea de que fueras tan optimista y decidido. Te seré sincero: ahora mismo me siento muy inspirado. Si estuviéramos cerca de una cancha, creo que podría jugar unas cuantas rondas de algún deporte —dijo Theo con orgullo.

—«Unas cuantas rondas de algún deporte» —repitió Lulu con sarcasmo—. Ni siquiera sabes cómo hablar de deportes, y no tienes ni idea de cómo jugar.

—Y yo no pienso decirte nada más sobre eso de llamarme «Gary» —masculló Garrison.

—Schmidty, ¿cree que a Abernathy le asustará mi conjunto? ¿No será mejor que me quede aquí? —preguntó Madeleine con educación.

—No intentes librarte de esta, Maddie —dijo Lulu con vehemencia—. Además, no te olvides de que todavía quedan cuatro milpiés sueltos por Summerstone, así que no estás del todo a salvo en ningún sitio.

—Gracias por esas palabras tan desagradables e inquietantes, Lulu —dijo la niña con los dientes apretados.

—No hay de qué —contestó la otra con una sonrisa—. Bueno, a Abernathy le dan miedo las madrastras, y ninguno de nosotros tiene una. Sí, esto va a ser pan comido.

—¡Energía positiva, Lulu! Mrs. Wellington nos necesita. Esta escuela lo es todo para ella, así que lo menos que podemos hacer es intentar ayudarla —dijo Theo—. Además, si nos quedamos sin ella, ¿quién va a ayudarnos a nosotros?

—Tienes razón, Gordinflón. Vamos allá —dijo Lulu mientras se levantaba de la mesa.

—¿Todo el mundo está seguro de que yo también tengo que ir? —preguntó Madeleine con nerviosismo.

—Cuatro milpiés superinteligentes, Maddie, y no tenemos ni idea de dónde pueden estar —le recordó Garrison con una sonrisa.

—Vale —dijo Madeleine con una expresión muy tensa—. Vamos a buscar a Abernathy.

—Yo ya me he preparado unos sándwiches y un poco de tiramisú. ¿Qué lleváis vosotros, chicos? —les preguntó Theo a los demás.

—Nuestro cerebro —le soltó Lulu con cara de póquer—. Y espero que también muchísima buena suerte.

Aunque Abernathy había subido a Summerstone alguna que otra vez, el grupo creía que las probabilidades de encontrarlo eran mayores si bajaban ellos al bosque. Theo, Madeleine, Garrison y Lulu bajaron en el TVS, en un trayecto que no tuvo nada de memorable; vamos, que Theo ni siquiera hizo una tanda de estiramientos al salir… Sencillamente bajó del tranvía como todos los demás. Y allí se quedó plantado el grupo, frente a los gigantescos muros de follaje que bordeaban el bosque. No fue una cantidad de tiempo descabellada la que pasaron los cuatro allí mirando al bosque, pero a ellos sí que se lo pareció. Cada uno de los niños se preguntó cómo narices lograrían convencer a Abernathy para que se acercara hasta la linde y, lo que es más, cómo lo engañarían para que subiera con ellos hasta la escuela y volviera a ingresar en ella. La misión de salvar a Mrs. Wellington de repente les parecía un esfuerzo inútil.

—Bueno, pues yo había pensado que a lo mejor podríamos cantar una canción, conseguir un ambiente amistoso para poner esto en marcha —dijo Theo, rompiendo el silencio.

—¿Una canción? —preguntó Lulu sin dar crédito a lo que acababa de oír—. Pero ¿qué te crees que es esto? ¿Un musical?

—¿Qué os parece algo festivo, como el himno de Estados Unidos?

—No estoy segura de saberme esa canción, Theo, y la verdad es que no me gusta demasiado mi voz —dijo Madeleine con dulzura mientras se cubría de repelente.

—Theo, nadie va a cantar nada. Y está claro que lo que menos vamos a cantarle a un hombre que vive en el bosque es el himno de Estados Unidos —espetó Lulu.

—Además, puede que el himno nacional haya cambiado desde que él era pequeño —dijo Garrison.

Lulu, Theo y Madeleine miraron a Garrison y sacudieron la cabeza.

—Vale, pues a lo mejor no ha cambiado —admitió Garrison, abochornado—. No es que suela escucharlo en mi iPod, precisamente. ¿Cómo iba a saberlo?

—Hablando de otra cosa, ¿creéis que debería colocar la comida en el suelo como si fuera una especie de bufet?

—¿Y si empezamos por llamarlo por su nombre? —propuso Garrison.

—¿No se sentirá insultado, como si fuera un perro extraviado o algo así? —se apresuró a preguntar Lulu.

—Qué va. A mí la gente me llama por mi nombre todo el rato en el campo de juego, y nunca pienso que me consideren un perro. Simplemente no lo digáis con retintín, como si fuera un nombre de mascota.

—No me había dado cuenta hasta ahora, pero toda mi familia dice mi nombre con un retintín como de nombre de mascota. «¡Theeeeeeoooooo!» ¿Qué creéis que significa? ¿Falta de respeto, muestra de afecto?

—Vale, Theo, vete a un psicólogo. Garrison, tú grita el nombre de Abernathy. Maddie, no dejes de pulverizarte con esos sprays —ordenó Lulu en un tono inflexible, como de quien está al mando.

—¡Abernathy! —gritó Garrison.

—¡Venimos en son de paz! —exclamó Theo—. No traemos regalos, pero tenemos sándwiches y tiramisú, lo cual es mejor que la mayoría de los regalos que me hacen a mí, y supongo que también es mejor que la mayoría de los regalos que te hacen a ti. Aunque no estoy muy seguro de que tú recibas ningún regalo, ya que no tienes dirección postal propiamente dicha, así que…

—Me parece que podemos decir que esto no marcha demasiado bien —comentó Lulu.

Los cuatro se quedaron allí de pie contemplando aquel verdor que parecía infinito, con sus hombros cargados por el peso de la responsabilidad. No había más. Aquella era su única idea para salvar a Mrs. Wellington, su legado y a ellos mismos. Y era inútil negar que no lo estaban consiguiendo. Garrison intentó respirar hondo, pero no pudo… y no solo a causa del repelente de Madeleine. Estaba demasiado tenso por la ansiedad y el sentido del deber y la responsabilidad. Y no era el único. Lulu empezó a sentir las habituales palpitaciones tras el ojo izquierdo a medida que el miedo al fracaso empezó a apoderarse de ella.

Madeleine rociaba y rociaba sin parar, preocupada porque oía alas de insectos zumbando a lo lejos. Y, como era de prever, Theo daba bocados a escondidas de los sándwiches que llevaba en la bolsa. Siempre comía cuando estaba nervioso, contento, aburrido o, en fin, despierto.

—¡Hummm, chicos! Miradme la cabeza. ¿No veis una bombilla encendida? ¡Porque tengo una idea! —gritó Theo, exultante—. Este es el plan. Gary, Lulu, Maddie, poneos detrás de mí en fila india.

—Me da la sensación de que voy a arrepentirme de lo que sea que estamos a punto de hacer —le murmuró Garrison a Madeleine.

—Es muy probable —coincidió ella.

—Se trata de una coreografía supersencilla. Chicos, quiero que deis un paso a un lado y luego al otro y que deis una palmada cada vez. ¿Creéis que podréis hacerlo?

Después de los ojos de exasperación y las burlas de rigor, los tres se pusieron a dar un paso a un lado y una palmada.

—¡Dame una A! ¡Dame una B! ¡Dame una E! ¡Dame una R! —entonó Theo mientras ejecutaba unos rudimentarios movimientos de animadora con bastante torpeza—. ¡Dame una

N! ¡Dame una A! ¡Dame una T! ¡Dame una H! ¡Dame una Y! ¿Qué tenemos? ¡A-ber-na-thy! ¡Sí! ¡Sí! ¡Abernathy!

El niño terminó su baile de animadora lanzando unos pompones imaginarios al aire y dando saltitos arriba y abajo. Con una orgullosa sonrisa se volvió hacia sus amigos, que estaban doblados unos sobre otros, muertos de risa. Mientras su sonrisa se desvanecía, Theo empezó a dudar muy en serio de la intención que tenía desde hacía tiempo de unirse al equipo de animadoras del instituto. No era esa precisamente la reacción que había esperado.

—No pasa nada, chicos, podéis reíros todo lo que queráis. Se supone que es un número cómico… En serio… Lo he hecho para conseguir esta reacción… He pensado que reírnos de mí sería un buen ejercicio para reforzar el espíritu de equipo… De verdad, no lo hacía en serio… Bueno, a lo mejor sí, pero no se lo digáis a Joaquin, ¿vale? —balbució.

—Acabas de arreglarme el verano —consiguió decir Lulu entre lágrimas de risa—. ¡No puedo creer que lanzaras al aire esos pompones imaginarios!

Madeleine de repente dejó de reírse y de rociar con el spray. La delicada jovencita les dio unas suaves palmadas a Garrison y a Lulu en el hombro antes de señalar hacia el bosque con una sonrisa.

—Te había subestimado, Theo —dijo Garrison con satisfacción—. Ha funcionado.

El niño se volvió en actitud triunfal hacia el bosque y escudriñó con la mirada el denso follaje hasta que se encontró con la cenicienta cara de Abernathy, que estaba ajada y marchita, con las mejillas cubiertas de grietas. Normalmente, la visión de un hombre tan estropeado habría hecho que Theo sintiera escalofríos en la espalda, pero en esta ocasión no sintió más que alivio. Lanzando sus pompones imaginarios al aire otra vez, se acercó despacio a la linde del bosque.

—¡Hola! —gritó el niño con simpatía—. Me alegro muchísimo de que hayas podido disfrutar de mi actuación. Por desgracia, no puedo alargar el espectáculo porque esos son los únicos pasos que me sé. Así que, por favor, no aplaudas ni enciendas un mechero, porque no soy más que un principiante. —Se detuvo para dedicarles una sonrisa victoriosa a los demás—. Bueno, de todas formas, estoy aquí para decirte oficialmente que lo entiendo. No querría para nada tener a Mrs. Wellington como madrastra. Ni hablar del peluquín (sin intención de ofender a nadie). No estoy seguro de que llegara tan lejos como para vivir en el bosque, pero estaría disgustado de verdad.

»Sin embargo, al final me daría cuenta de que toda la chifladura de Mrs. Wellington, su alocado comportamiento y sus comentarios acerca de mi sobrepeso… bueno, pues que todo eso es amor. Así que, en palabras de la gran leyenda de la canción Diana Ross: «¡Déjalo ya, en nombre del amor! ¡Y sube a la montaña…!». Ese segundo verso en realidad no es de la canción, pero ya te haces una idea general…

—Eh, hola —interrumpió Madeleine—. Soy Madeleine Masterson y, aunque yo no tengo madrastra, sí que tengo una abuelastra. Es la madrastra de mi padre, y, bueno, es encantadora. Yo la considero mi abuela de verdad…

Abernathy siguió mirando fijamente a los niños, más o menos como lo haría alguien que no hablara su idioma. El hombre no daba absolutamente ninguna muestra de comprensión ni de emoción.

—Sabemos que le tienes miedo, pero en realidad puede ayudarte —le suplicó Garrison a Abernathy—. Ya sé que cuesta mucho de creer. A veces incluso a mí me resulta difícil creerlo, pero es verdad… Mrs. Wellington nos ha ayudado a todos.

—Abernathy —interpuso Theo—, si me lo permites, voy a explicarte una pequeña historia, de hombre a hombre. O, como dicen los mexicanos, de mano a mano…

—Theo, deberías saber que, aunque los mexicanos se llamen «mano» entre amigos, esa expresión acabas de inventártela y puede provocar malentendidos —dijo Madeleine—. Así que, a menos que tengas pensado darle la mano a Abernathy, no deberías usarla.

—Sí, vale, dejemos eso del «mano a mano» hasta que tengamos un poco de desinfectante… No te ofendas, Abernathy. Y no es que no quiera darte la mano porque vivas en el bosque. Tiene más que ver con los resfriados que rondan por ahí en esta época del año —siguió explicando Theo con incomodidad—. De todas formas, como iba diciendo, la primera vez que llegué a Summerstone quise irme, y en un tren expreso, ya sabes lo que quiero decir. Pero entonces conocí a Mrs. Wellington, que fingió su propia muerte y eso me ayudó de verdad. También me trastornó… Pero al final resultó ser útil… Así que, básicamente, creo que también podría ayudarte a ti.

»Vamos, que ¿no estás cansado de comer ramitas y bichos? ¿Es que no quieres pedir comida a domicilio y ver la tele por cable? Es una vida fantástica… Deja que te ayudemos a descubrirlo. ¿Por qué no subes con nosotros arriba, a la mansión, a tomar un té con galletas y quizá echar una siestecita? Porque, no sé tú, pero yo no dormí demasiado bien anoche. Por cierto, puede que ayer me comiera varios milpiés, y eso me puso bastante de los nervios, y con eso no pretendo ofenderte si tú sueles comer milpiés... porque tú vives en el bosque, ¿qué otra cosa vas a comer?

—Theo —dijo Madeleine, intentando frenarlo.

—... A lo mejor alguna ardilla, aunque la verdad es que espero que no, porque son bastante monas, no es que ser mono o no tenga que ver con quién debe vivir y quién debe morir, pero, seamos francos, en realidad sí. Por eso matamos a pisotones a las arañas pero no a los chihuahuas...

—Theo, vamos acabando ya —dijo Lulu en voz baja.

—En fin, que tú tienes miedo, nosotros tenemos miedo... Esto es como un campamento de verano, solo que raro de verdad... Y con tu madrastra como directora, lo cual a ti te da pavor... Pero creo que hablo en nombre de todo el grupo cuando digo que a todos nos da un poco de miedo. Así que ¿qué me dices?

Abernathy seguía mirándolos sin decir nada.

—A lo mejor tendríamos que tirarle el tiramisú y ya está, para que pruebe un poco lo que es la buena vida —les susurró Theo a los demás.

—Oye, yo soy Lulu y creo que, de este grupo, soy la que mejor comprende cómo te sientes. Para mí, mi madre es más una alienígena que una madre, y a veces me pregunto qué me estoy perdiendo, qué tienen los demás, y eso hace que me enfade un poco... con ella... con la vida... pero no pasa nada. No pasa absolutamente nada por tener miedo o por estar enfadado, pero no es forma de vivir para siempre. Deja que te ayudemos.

Abernathy se quedó mirando fijamente a Lulu. Por un segundo pareció que sus palabras habían calado en él; el hombre parecía de verdad dispuesto a aventurarse fuera del bosque. Pero entonces, en un abrir y cerrar de ojos, Abernathy desapareció. Y con él se esfumó la única oportunidad de salvar a Mrs. Wellington y su escuela.

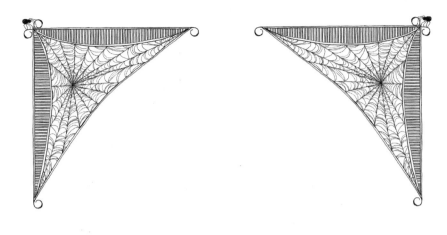

CAPÍTULO 24

TODO EL MUNDO TIENE MIEDO DE ALGO:
la astenofobia es el miedo
de la debilidad.

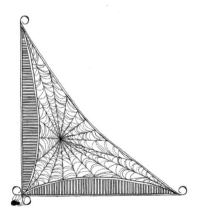
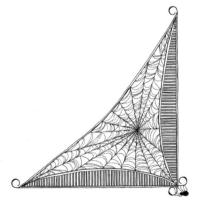

La oscuridad no es simplemente la ausencia de luz, sino la destrucción de la esperanza. Antes de que cayera la noche, Madeleine, Lulu, Theo y Garrison habían quedado envueltos en una oscuridad absoluta. Tenían la sensación de haber fracasado en el reto más importante de su vida: una carga insoportable cuando aún no se ha pasado la pubertad siquiera. Sin embargo, allí estaban, plantados, mirando a los árboles, implorando en silencio que Abernathy reapareciera aunque sabían que no sería así. No es que jamás fueran a recuperarse de esa experiencia; por supuesto que lo superarían. A medida que pasara el tiempo, el dolor de ese fracaso se iría mitigando para todos y cada uno de ellos. Y los niños lo sabían, incluso en aquel preciso instante. Aunque no era un pensamiento que hubiera cobrado forma en su mente, sí que lo sentían en su cuerpo.

Podría pensarse que sentir esa certeza en su interior habría aplacado un poco el dolor del momento; en realidad, solo logró exacerbarlo. Allí estaban ellos, con toda la vida por delante, mientras que la de Mrs. Wellington, que casi había llegado a sus últimos días, quedaría destrozada sin remedio. Aquella escena contenía cierto elemento trágico (tanto por el personaje de Abernathy como por el de Mrs. Wellington) que sencillamente no podía pasarse por alto: eran dos almas atormentadas que no encontraban consuelo.

Poco después de las ocho de la tarde, las luciérnagas empezaron a cruzar volando como cometas alrededor de los alumnos. Al darse cuenta de que, aunque Abernathy volviera, no lograrían verlo, a los cuatro no les quedó más remedio que subir al TVS para regresar a Summerstone con las manos vacías. En lo alto, Macarrones y Schmidty los estaban esperando en la puerta de entrada. El conserje no les preguntó si lo habían logrado, pues ya sabía que no era así. De hecho, desde el principio había sabido que no lo lograrían, que aquella era una misión verdaderamente imposible.

—Niños, les he preparado la cena en el comedor —dijo el hombre con dulzura—. Macarrones ya ha comido (ya saben lo pesadito que se pone cuando tiene hambre), pero yo les he esperado, igual que Miss Dahlia y Ensalada.

—Vaya, genial —refunfuñó Lulu—. Justo lo que necesitábamos: Dahlia. —Con una expresión pétrea en la cara, entró en el vestíbulo, donde se apoyó en la mesa a esperar que los demás fuesen pasando también.

—Bueno, no debemos ser desagradables, Miss Lulu.

—Está bien —accedió la niña, que se sentía emocionalmente agotada después del día que había pasado.

—Schmidty, ¿cenará Mrs. Wellington también con nosotros? —preguntó Madeleine, esperanzada, mientras cerraba la puerta de entrada tras de sí—. Me gustaría muchísimo decirle cuánto la respeto y que, a pesar de haber sufrido una pequeña recaída a causa, en parte, de las doble y triple M, durante todo este año pasado me ha hecho un gran regalo. Aunque aún no estoy curada, he vivido una existencia normalísima. Nadie me ha llamado la Velada Maravilla ni la Tonta del Spray. He sido sencillamente Madeleine.

—Ay, qué palabras más bonitas. Se las transmitiré a Mrs. Wellington o, si lo prefiere usted, podría dejarle una nota. La señora está guardando cama y no podrá despedirse de ustedes mañana cuando el sheriff venga a buscarlos.

—¿Qué? —preguntó Theo—. ¿Ya está? ¿Nos vamos a casa? ¡Pero si no estamos preparados! Y Maddie está menos preparada que nadie: ¡lleva puesto un gorro de ducha!

—Lo sé, Mr. Theo, pero la señora es incapaz de dar clases. Caray, si en estos momento ni siquiera es capaz de levantarse de la cama, y me temo que yo no cuento ni con las aptitudes ni con la resistencia necesarias para darles clase a todos ustedes. Pero no se preocupen, les devolveremos el dinero a sus padres junto con una carta en la que se explicará la situación, así que a ninguno le echarán la culpa por la falta de progresos.

—Ni siquiera sé qué decir —comentó Garrison, abatido—. Menudo chasco. Yo esperaba que algún día conseguiría ser un surfista que hiciera surf de verdad.

—Sí, bueno, a veces las cosas no terminan como queremos que terminen, pero eso no debe impedirnos seguir avanzando, seguir enfrentándonos a la vida —dijo Schmidty mientras se encaminaba ya hacia el Gran Salón—. Vayamos a disfrutar de una buena cena y a hablar de los tiempos felices que aún están por venir.

—¿De verdad no podemos despedirnos de Mrs. Wellington? —preguntó Theo con lágrimas en los ojos—. No me importa que esté calva y amarilla y que dé miedo verla...

—Me temo que no.

Dahlia ya se hallaba sentada a la mesa del comedor con Ensalada subida a su hombro izquierdo. Cuando Madeleine, Lulu, Garrison, Theo y Schmidty entraron y tomaron asiento, la niña los saludó con la cabeza. Por muy tranquila que pareciera estar por fuera, en realidad la pequeña se sentía completamente eufórica al volver a encontrarse en compañía de otras personas, aunque estuvieran furiosas con ella.

Schmidty había preparado una deliciosa cena que se componía de una ensalada, *rigatoni* gratinados y coliflor al ajillo, aunque nadie parecía capaz de hacer nada más que pasear la comida por el plato.

—Esta cena está para chuparse los dedos, Schmidty —asintió Madeleine con educación, antes de obligarse a meterse en la boca un trocito de coliflor—. Absolutamente deliciosa.

—Sí, Ensalada y yo la encontramos muy sabrosa —convino Dahlia con docilidad, aunque su frase se encontró de inmediato con una furiosa mirada por parte de Lulu.

Es que a Lulu le resultaba muy difícil oír la voz de Dahlia sin recordar todo lo que había hecho la pequeña.

Theo dejó su tenedor en la mesa y se echó a llorar. No se trataba de su acostumbrada dosis de dramatismo, con sollozos sonoros y un sonarse los mocos desenfrenado. Esta vez era un llanto mucho más digno y sincero. De hecho, en realidad, ni siquiera era un llanto, sino más bien un lloro contenido.

—No me parece bien dejarlos a usted y a Mrs. Wellington solos aquí arriba, pudriéndose hasta que la muerte se los lleve por fin a la tumba. No es así como se supone que deben pasar sus años dorados, o sus años de platino, o lo que sean los años en los que están. ¿Por qué no se vienen a vivir conmigo? De todas formas, Joaquin ya tiene ganas de independizarse. Macarrones y usted podrían instalarse en mi habitación, y Mrs. Wellington tendría un dormitorio para ella sola. Juro que mis padres ni siquiera se darán cuenta, porque en el apartamento ya somos una barbaridad de gente.

—Es usted un encanto de niño, Theo, y le agradecemos mucho el ofrecimiento, sobre todo Macarrones, puesto que le encantaría vivir en la ciudad, cerca de esos puestos de comida donde los vendedores tiran trocitos de carne al suelo. Pero, por desgracia, debemos rechazar la oferta. Es aquí donde la señora se encuentra más cómoda, y es aquí donde nos quedaremos.

—Pero ¿qué harán sin una escuela que dirigir y sin alumnos de los que cuidar? —preguntó Lulu.

—He pensado aprender a hacer punto. Quizá podría confeccionarle a Macarrones algunos jerséis para el invierno. Ya saben lo mucho que le gustan a la señora los animales vestidos.

—¿Y ya está? ¿Va a quedarse sentado aquí arriba, tejiendo jerséis para perros? —preguntó Garrison sin poder creerlo.

—Supongo que también haré jerséis o bufandas para los gatos, y desde luego un suéter para la señora, y por último uno o dos para mí. Cuando pase el invierno, plantaré algunas verduras, puede que intente pintar un retrato de la señora… con efecto difuminado, desde luego.

—Pero ¿y Mrs. Wellington? ¿Qué hará ella todo el santo día? —preguntó Madeleine.

—Al principio supongo que no hará nada, se quedará encerrada en su habitación. Pero con el tiempo espero que se aventure a salir, que se pruebe sus coronas e intente revivir sus antiguos días de gloria con algún que otro traguito extra después de comer.

—¿Podremos venir a visitarla al menos? —preguntó Theo, esperanzado.

—Yo diría que no. Preferiría que nos recordaran tal como hemos sido, no como seremos —respondió Schmidty con tristeza—. Pero no se preocupen; en caso de que sucediera cualquier cosa, el sheriff los mantendría a todos informados.

—O sea que ¿ya está? ¿Esta es la última cena? —dijo Theo.

—A lo mejor podríamos reunirnos nosotros cuatro una vez todos los veranos —sugirió Madeleine—. Podríamos ir a cenar a algún sitio bonito, o ir a ver una película, o incluso buscar una nueva escuela o un campamento al que ir juntos.

Dahlia no apartaba la mirada de su plato, incómodamente consciente de que la estaban excluyendo de los planes futuros. Desde luego, la verdad es que no podía tomárselo a mal, después de todo lo que había hecho.

—Sí, supongo que sí —dijo Lulu, respondiendo a la propuesta de Madeleine—. Pero no será lo mismo. Es raro, porque yo ni siquiera había pensado que este sitio me gustara, y ahora lo único que quiero es quedarme aquí.

—Lo sé —coincidió con ella Garrison—. Yo voy a echar mucho de menos todo esto. Mrs. Wellington, Schmidty, Mac, los gatos, la casa, y a vosotros, chicos. Nunca habrá nadie que pueda entender lo que nos ha dado este sitio… por mucho que intente explicarlo… y, además, tampoco es que quiera ir explicándolo por ahí, ¿sabéis?

—Claro que lo sé —dijo Madeleine con una sonrisa—. Oye, Garrison…

—¿Sí, Maddie?

—Bueno —contestó la niña con las mejillas más rojas que un tomate—, ya que mañana nos vamos, ya que todo esto se acaba y puede que no volvamos a vernos nunca más, o al menos no tan a menudo… Quería decirte que… que creo que eres… —Madeleine se interrumpió de súbito.

No acababa de verse capaz de decir lo que quería decir, lo que necesitaba decir. En lugar de eso, se quedó mirando a Garrison a los ojos mientras el corazón le latía con fuerza y le sudaban las manos. Por dentro lo estaba gritando, pero a sus labios no les daba la gana moverse.

—Yo también… creo que eres… —dijo Garrison, y le guiñó un ojo.

Lulu, Theo y Schmidty sonrieron con esa clase de sonrisa que solo unos amigos pueden compartir. Dahlia y Ensalada los miraban a todos con curiosidad, una mezcla de vergüenza y bochorno, y una envidia descomedida. Esa era justamente la clase de relación de amistad que Dahlia siempre había buscado. Fue solo al contemplarlos a ellos y ver la confianza que los unía cuando se dio cuenta de que los cuatro habían tenido razón la noche anterior. Ella no tenía ni idea de lo que era la amistad. Ni la más mínima idea.

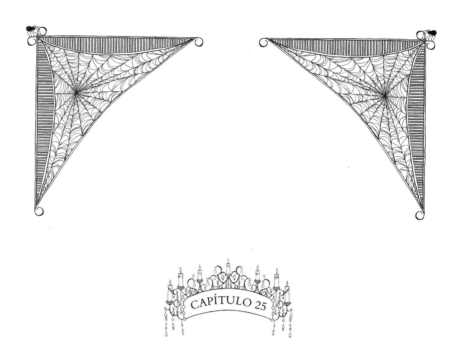

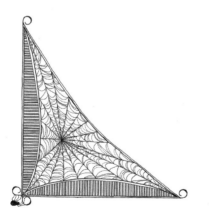

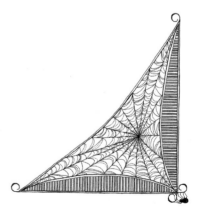

CAPÍTULO 25

TODO EL MUNDO TIENE MIEDO DE ALGO:
la automatonofobia es el miedo
de las estatuas de cera y de los muñecos animados.

Madeleine, Lulu, Garrison y Theo no pegaron ojo esa noche.
Sí, claro, todos pasaron las horas tumbados en la cama en silencio, pero ninguno de ellos durmió. Estaban demasiado ocupados interiorizando hasta el último centímetro de Summerstone antes de que la Escuela de Mrs. Wellington se esfumase.
Nunca más volverían a ver a Mrs. Wellington, a Schmidty, a Macarrones, a los gatos o el interior de aquella mansión tan colosal y estrambótica. Era el fin de una era, de una era muy importante, y los niños no querían perderse un solo segundo por quedarse dormidos.

No muy lejos de ellos, también Dahlia estaba despierta. La pequeña no conseguía deshacerse de esa sensación de pánico que la recorría por dentro. Ansiaba volver a dormir en el suelo de la habitación de Madeleine y Lulu, pero sabía que eso no podía ser. Aparte de que los demás estaban hechos una furia con ella, lo único que tenían todos en común estaba a punto de desaparecer. Esa extraña escuela que ella apenas empezaba a conocer iba a evaporarse, y Dahlia, por su parte, regresaría a su vida en Kansas City, con su familia. Pero regresaría con el mismo problema de siempre, y sus pobres hermanos, hermanas y padres seguirían sufriendo. La niña no podía soportar la idea de que su familia no quisiera estar con ella, sino que lo hiciera por obligación. No, Dahlia pensó que ya no quería seguir teniendo esa clase de relación con ellos.

Theo, Madeleine, Lulu y Garrison se presentaron a desayunar con cara de sueño y muy lúgubres, temiendo que llegara el momento del último adiós, que cada vez estaba más cerca. Mientras los cuatro, agotados, se sentaban a la mesa del comedor, Dahlia salió a hurtadillas por la puerta principal de Summerstone vestida con un traje pantalón de color naranja. Con Ensalada firmemente encaramada a su hombro izquierdo, la jovencita se obligó a atravesar todo el recinto, aunque se detuvo dos veces para mirar atrás. La idea de bajar hasta la carretera ella sola hacía que se le nublara la vista de miedo. Sin embargo, sabía que era la única esperanza que tenía de enmendar el mal que había hecho.

Dahlia empezó a sollozar mientras el TVS traqueteaba descendiendo por la montaña. De pronto el tiempo casi se detuvo, parecía avanzar a paso de tortuga mientras ella sentía cómo los nervios le apresaban el pecho. Respirando profunda y trabajosamente, bajó del tranvía. Allí estaba ella, sola junto a la linde de un bosque, con su hurona por única compañía. Dahlia dio media vuelta y subió otra vez al TVS. Le resultaba demasiado difícil y punto. No era capaz. Se quedó en la cabina del tranvía unos treinta segundos. ¿Qué hacer? En su mente estaba teniendo lugar una batalla, y la niña no sabía quién iba a ganar. ¿Conseguiría su deseo de cambiar y poner remedio al mal que había hecho imponerse al deseo de escapar de aquella abrumadora sensación de pánico? Sin embargo, ¿de verdad se acabaría algún día ese pánico, esa fuerza que la impelía a huir, si regresaba a Summerstone? No, regresaría y sería una marginada, y al volver a casa seguiría siendo una carga. Dahlia no podía permitir que sucediera eso.

—¡Hola! —susurró la niña junto a la linde del bosque—. Hola, ¿Abernathy?

Nada.

—«Solo soy una niña, y en el hombro llevo a un huróóón. No tengas miedo, que tú eres un hombretóóón. Aunque vivas en los árboles con las ardillaaas, no creas que creo que tienes polillaaas. No me da miedo que seas tan rarooo, yo solo quiero hablar contigo un ratooo. ¿Qué me dices, entonceees? ¿Saldrás un poquito del bosqueee?» —cantó Dahlia, desafinando un montón.

Mientras decidía qué más podía intentar, la niña oyó el inconfundible ruido del crujir de unas hojas.

—Me gustaría que cantaras un poco más —dijo Abernathy con una voz tenue, bajísima, desde la linde del bosque.

—¿Te gusta como canto? —preguntó Dahlia, totalmente pasmada.

—Oh, sí, es una delicia. Como si cantaran los ángeles.

—Eres la primera persona en toda mi vida que me dedica un cumplido por mis canciones. Gracias.

—Gracias a ti. La música es una de las cosas que se echan en falta en el bosque. Escucho los trinos de los pájaros y el ulular del viento, pero no es lo mismo que una voz que hace llegar esas bellas melodías hasta mi cerebro.

—¡Ojalá hubiera traído la armónica! ¡Nunca había tenido un público tan entregado! No te creerías lo mucho mejor que soy con una armónica. El año que viene voy a pedir una guitarra por mi cumpleaños. Pienso crear un grupo femenino de un solo integrante.

—Ah, pues espero que vengas a darme conciertos.

—¡Claro! ¡Eso sería estupendo! ¿A lo mejor podríamos grabarlo incluso? ¡Dada en vivo desde el bosque! —exclamó Dahlia con entusiasmo antes de recordar la situación que tenía entre manos—. Por desgracia, eso no va a poder ser. Nos vamos todos. La Escuela de Mrs. Wellington va a cerrar. A menos, claro, que tú decidas volver ahí arriba y le des otra oportunidad...

—No —respondió Abernathy sin emoción en la voz—. No puedo... No quiero...

—¿Sabes?, tú y yo no somos tan diferentes. A ti te da miedo estar con la gente, y a mí me da miedo estar sin ella. Pero al final creo que tiene más que ver con nosotros mismos que con ellos. ¿Entiendes lo que quiero decir?

Abernathy no pronunció palabra. Simplemente se quedó mirando a la niñita.

—Te prometo que, si vienes conmigo, podremos cantar juntos todos los días. A lo mejor incluso te dejo entrar en mi grupo.

—¿Tienes un tocadiscos? Esos Knapp me prometieron un tocadiscos si los ayudaba, pero no han vuelto por aquí. Sabía que no podía fiarme de dos personas que llevaban los jerséis a juego.

—Si vienes a la escuela y lo intentas, te conseguiré algo aún mejor que un tocadiscos, te regalaré un iPod.

—¿Un qué?

—Sí que llevas tiempo en el bosque… Demasiado tiempo, la verdad.

Casi como la noche anterior, Madeleine, Lulu, Theo y Garrison apenas tocaron la comida. Simplemente estuvieron jugando con el desayuno en el plato mientras intentaban hacer fotografías mentales de cada pequeño detalle del tiempo que habían pasado en Summerstone. Una cosa estaba clara: nunca más volverían a entrar en una residencia tan peculiar y original.

—Disculpad —dijo Dahlia en voz alta desde la puerta del Gran Salón.

—Miss Dahlia, también les he preparado el desayuno a Ensalada y a usted —dijo Schmidty con amabilidad.

—¿Sería posible preparar un plato más?

—¿Es que Ensalada come ahora de su propio plato? —preguntó Schmidty con suspicacia.

—No, es que hay otra persona que desayunará con nosotros…

—¡Oh, Dahlia! —estalló Madeleine llena de alegría—. No sé cómo habrás conseguido convencer a Mrs. Wellington para que baje, pero gracias. Despedirnos de ella significa muchísimo para nosotros. Gracias de nuevo.

—Caray, es una pasada —coincidió Lulu con ella—. Resulta un poco extraño, porque no pensaba que le cayeras demasiado bien después de haberle destrozado la vida entera y la carrera, pero gracias.

—Sí, gracias, Dahlia —añadió Garrison, asintiendo en señal de gratitud.

—Yo, aunque quiero, no puedo perdonarte —dijo Theo con toda sinceridad—. Pero tengo que admitir que me sentiré mucho mejor si, antes de irme, puedo darle a Mrs. Wellington uno de mis famosos abrazos de oso. Así que gracias.

—En realidad nadie se va a ninguna parte —respondió la niña, sonriendo—. A él le he prometido que nos quedaríamos todos hasta el final del verano. —Y detrás de Dahlia apareció entonces un hombre de cara cenicienta vestido con harapos mugrientos.

—Abernathy —masculló Schmidty, completamente pasmado.

—Aún no está preparado para ir a un programa de entrevistas, así que nada de preguntas, chicos —dijo Dahlia, que llevaba a Abernathy de la mano—. Pero le encanta la música, ¡y sobre todo mi voz! Incluso vamos a formar un grupo. Todavía estamos barajando varios nombres, pero creemos que lo mejor será algo sencillo como: Una Chica, un Chico y una Hurona. Hasta hemos empezado a componer nuestra primera canción. Se llama «No tengas celos de mi hurona».

Mientras Madeleine, Lulu, Theo y Garrison le sonreían a Abernathy llenos de esperanza, Schmidty se apresuró con sus patosos andares y puso un plato más en la mesa.

—Bienvenido a casa, Abernathy. Bienvenido a casa.